stormen, olielekken, motetten

xavier roelens

stormen, olielekken, motetten

OVER DE TWEE
hoofdbestanddelen
VAN DE MENS:
WATER & RELATIES

2012
Uitgeverij Contact
Amsterdam/Antwerpen

opgedragen aan 3% volwassenen

inhoud

opwerpingen, reddingspogingen, stormen	6	kolkingen, overijlingen, olielekken	16	schuifelingen, toewijdingen, motetten	64
iii	8	ja	18	opus 69	66
ii	9	neen/ja	20	opus 70	67
i	10	ja	24	opus 71	68
iii	11	ja	26	opus 72	69
ii	12	neen	27	opus 73	70
i	13	neen	32	opus 74	71
	14	ja/neen	40	opus 75	72
start	15	neen	56	opus 76	73

opwerpingen,

stor

O de wintre oes agterloat, est nie
aljinne mo voe in de vlakke zunne
me't snukbeentje in de lugt te lign brunn
tes nie aljinne mo voe druvn te kwjikn
inn logtink in de sgouwte van de kemmel,
de vlieskes tusn u tjinn vant stampn toes win
beist da de kinders katje mie en katje
were speeln en fanta vroagn 'en meug
ek wok ne vitabis?', tes nie aljinne
me zunnepanjiln ip suldoategroavn
t'installeern, tes ni al dadde nin.

reddingspogingen,
men

iii wat de zee opwerpt is wat we oprapen voor onze uitzet:
een bloempot, een breezer, een gloeilamp, een tetrabrik
met frambozensmaak, een plastic zak, een fles ketchup,
een ijzersponsje, brandhout in cellofaan, een schroefdop,
een jerrycan, bekers, een vuilniszak om alles te bewaren
en voor 's middags wier op een bedje van tamponhoesjes

wat de zee verzwijgt   op zolder ingeduffeld tot wandaad
rusten onze slapen tegen elkaar   in een afzetgebied
nemen onze lusten   een onzichtbare hand te grazen
geen koehandel geen   doelgroep zijn wij
wij schitteren in knulligheid   leren we van ruis
te houden vandaag   zijn wij twee dolfijnen

de sneeuw die we smelten op ons dak
sijpelt aan de voordeur tot ijs

ii   uit de trevifontein stijgt stank van muntstukken;

een in flarden aan elkaar genaaide profeet wenst dat geen vreemde mogendheid
zijn geboorteland binnenvalt deze zomer;

zijn geluiden absorberen permanent metalen zoals lood, koper en aluminium;

het neusje van de zalm dat de vent is, huilt dat het nog goed komt tussen hem en
haar;

hij bevochtigt wat plooibaar aan hem is: oksel, binnenelleboog, binnenelleboog,
halsputje, oogholte, binnenelleboog, oksel, halsputje;

hij vermindert chloor en kalk voor een heerlijke, natuurlijke smaak,
puur en helder gefilterd;

het 5 km lange droomstrand met zijn exotische palmbomen doet
zich als absoluut highlight kennen en biedt optimale omstandigheden voor
ultimatief badplezier;

we zijn allemaal toeristen bij zijn welzijn;

een hand, losgeslagen van haar alledaagse, functionele context, op zoek naar
het vergetene, het afwezige, het anders onzichtbare, het sociaal plooibare;

Onder plaatselijke verdoving wordt de zwelling geopend en de aanwas
verwijderd, waarna pijn en zwelling snel afnemen;

Door de tropische warmte gaan de poriën wijd openstaan;

zij ligt met haar ene been uit de bank na te hijgen van de opgedane indrukken;

i ingewonden | | ontsteekt
een sigaret een volgende sigaret en danst | 2 | 3 |
inhaleert een mond de stad spuugt de zilte nacht uit
en danst | 3 | 4 | haakt een stroboscopische hand aan
schouder keert een wang tot wang tepelschurende
bloesjes knisperen op en neer een tong begeert van
zweet | 10 | 9 | telt af | 6 | 5 | tot aan de | 2 | 1 | kus

terwijl een bewasemde badkamer ligt af te koelen
ligt te rimpelen met buikpuin de kers op de taart
die de vent is | | wil dat een
geil lichaam de deur opent; op de afgrond van nee
en nogmaals nee het vormloze aflegt uit de bron
van haar kut, een warme geile straal die bij tegen-
druk van gevorkte vingers op zijn verbeelde gezicht

uiteenspat | | o slet | | melklaag kleeft aan borsthaar
een openbaar zwembad dat het minste gele wolkje
met verwijderen bestraft | | een onvergetelijke vent
loopt op blote voeten de tuin in | | kent een naam
om in de sneeuw te plassen | | loost terwijl de buren

in zijn rug zich afvragen — een oog op YouTube waar
Lynn Redgrave *troubled and dwindling* uitnodigt tot
korte- en langetermijnstrategieën voor het behoud
van het bergriviertje — welk gezeik nu het ergste is
het doorspoelbare of het overdadig doorgespoelde

iii　Onze hond jankt nederig; hij heeft zijn starre achterpoten tot bij zijn drinkbak gesleept en verliest hem niet meer uit het o

zijn bloed heeft geen bron, elleboogt van hijgerige longen naar lamme spieren en terug; we stoppen ons hoofd in de aars van een veearts en beginnen te buikspreken; we leggen uit voorzorg om het hart een vetlaag aan

duisternis is noodzakelijk om vogels in een halogeen territorium op te sluiten, waar aan kinderhanden gesoldeerde profeten naar turen; je huid zuigt talg, scheidt pus, trekt een zwarte schutkring rond wat er op ontploffen staat

we hebben geen geld om vrienden te kopen, of een ander medicijn; in de zomernacht jankt vredig de hor

ii zwemmen doet ophelia bij stille maan met al haar jurken aan
    eskimoteert ze en duikt proestend boven het rietgors groet
    het groene meisje de haar aankijkende oevers omstrengelen
    haar polsen leggen een gelofte van spijt duwt ze van zich af
    stuwt ze het kroos uit haar neus vloeit het slijm houdt haar
    haar aan de oppervlakte als waar een hand zich nestelt denkt
    ze zichzelf een kind amper duikt boven de benen lossen eerst
    op in uitdijende onderrokken in afgebleekte regendruppels in
    blaadjes in wolken

    in de sneeuw bij de rivier aan de rand van
    het bos achter het raam vanuit de keuken
    vraagt een pracht van een vent zich af hoe
    hij een lichamelijk enthousiasme nabootst;
    hij is van het soort dat zijn handen vergeet
    vuil te maken voor het eten, dat zijn pistool
    verloren legt en geen kinderen heeft, dat
    met armen vol schuim *Einstein on the Beach*
    meedirigeert, dat elke zondagmiddag een
    museum zou kunnen bezichtigen ware het
    niet dat hij in slaap viel in de zetel tijdens
    veldrijden, dat wolkjes blaast op het raam,
    een uitzicht tekent, vervolgens een naam,
    ten slotte een veeg; lijf dat verdwijnt in
    schaduw
    de hemel bloost een naakte aanwezigheid
    almaar lichtlozer valt de sneeuw

i golven breken op roestige, roerloos aaneengelaste profeten breken tot de heupen
of schouders – tot de heupen of schouders verzonken turen door te turen dwingen
ze de zee om een manke meeuw of verdwaalde potvis op te hoesten – de stromen om
een manke meeuw te huizen wringen ze roestige, roerloos aaneengelaste profeten
in de ondergaande zon – ondergaat gaat een vent uit de duizend onder in sleur
in een meesleuren – in de verzonken zon in het rode vuilnis van de zon liggen
broek en hemd en slip en schoenen kousen op het strand hem na te turen
daarin een brief aan haar een uitgesproken boodschap af moet geven – vissen
van aanzien met buigzame lichamen ze twisten om voedsel ze trekken duwen
om de benen van een enige vent ze jagen ze duiken naar het slib – aders trappelen
als baby tegen opperhuid trappelen bloed staat op botten – roestige, roerloos
aaneengelaste profeten bespreken de brief en zal haar nimmer bereiken
(definitie van geluk) – koud en troebel zwoegt en spuugt de lever wordt gepolijst
even in de mond een golfje bloed omdat het zich aanbiedt niet dat hij het lust –
als bij haar – als in een huwelijk wordt hij een bewust lichaam – een gistende
vogeldrek vermengt een school tongen met onherbergzame oogkassen
vermengt een tonijnetende albatros verstrikt in nylondraden tussen gulpende
kieuwen vermengt een warmtegolf onder afvalolie onder het fijn stof van
aflandige winden boven afgekoeld sediment vermengt een koraalrif
onder een richel met sponzen en anemonen als schuilplaats van
trekkervissen en garnalen met lichtgevende ogen en zeekomkommers

in het zog van de vloed daagt de ochtend, dreggen
landlui, bibberend in hun vel, een crème van een vent
uit de branding

boten die opvaren en afvaren:

» de binnenkant van de romp van het opvarende laadruim biedt rugdekking aan
13 een verstekeling – in de droogte van wagenonderdelen snakt hij;

» de zee dicteert in het afvarende laadruim het op en neer van een verstekeling –
door verleden uitgespuugd is hij slechts vlees;

start   ze lepelt regenwater uit zijn hoofd, neemt hem
bij de polsen en voorkomt dat hij de trein opstapt;
vies wordt het perron.

dat hij zijn hersens blootgeeft, doet de omstanders
om de stationschef roepen. spikkels en stofjes blijven
in de brij van zijn verstand kleven en hoe meer zij
   oogcontact probeert te maken, hoe meer haar nagels
spreken,
hoe meer hij rondkijkt op zoek naar iemand met
   blauwe sokken die hem de oplossing moet vertellen.
geroezemoes stijgt, de zon komt van achter
wolken, eerst op zijn linker- en dan op zijn
            rechterhersenhelft. hij droogt langzaam uit en
lekt en zij denkt dat hij om haar, dat hij naar haar
beeld zichzelf zal willen zijn.

O de wintre wegbluft, winden nie
mji nidig bitn en giern, gin is mji kertelt,
gin snjiw mji knerpt, ipwaait en stuft, gin poln
mji ruod van snjiwbaln te smitn, gin sjokomelk,
gin gluhwein, gin pitroliumvierkes mji,
of Kasper en Hobbes' kamikazesnjiwmann.
De botn bluvn in de kasse, Scrooge en de
Von Trapps bluvn in de kasse en de Smurfn
met ulder afgebrande vuorroadsgure
vereuzn nie mji ip de muziek van Mozart
en Jezeke klopt zin kusses nie mjir ut.

kolkingen,
oliele

O de wintre vergeetn es, vergeetn
we wok oe dat de witgemakte stad
zig ipslut in zin euzn, oe dat een katte,
een zwarte katte wegzinkt in dakpann.
Der kringelt nog wa ruok, mo emel en eirde
kusn elkoars vergrisd' anzigte nie mji.
Vergeetn oe d'ooto's ploetern, kinders joeln
en tiern en tutn en wegsljirn ipn trottoir
en oe, ne kji vertrokn, de stilte were
gekjird es an de torens van den broel.
Vergeetn we oe dat es van niks te doen.

overijlingen,

n en een vrouw raken aan de praat op de trein omkapselt in tweede klas twee spanningsbogen wikkelen zich
luchtbel bestaat uit toonhoogte en ritme van de stem gisten en smeren het gespreksonderwerp: een re
ee oevers en één rivier maakt de lente niet haha je weet wat ik bedoel je dat komt echt van pas kocht ik
oi beroep doen in uiterste nood op een heliumfles of een filosoof als machiavelli is alleen wanneer de ro
ich achter de rug is het nu wel ja hier moet ik erafzien we elkaar nog een goeie reis naar de trappen op he

steunverband rondom een vlietend, een derde verhaal is voor zijn teleurstelling afhankelijk van de droo
overkapt een aanspraak is de eerste aanraking erkent de afstand door haar te overbruggen schept een
spiegelreflexcamera kadert een uitzicht in een inzicht brengt aan het wankelen verlangt te dansen aanle
hoofd brandt zich op het netvlies verzamelt aan elke kant van een treintafeltje een lichaam en een rugz
spat het uiteen zonder praktische afspraken raken we niet ver van het einde vandaan zitten een man en eer

Oké, ja, ik ben verliefd
op haar geweest. Geschaafd aan droge lippen
verloor ik de smaak van te veel waarom.

Maar niet zo
literaar

nu: kom kom kom paardje hop met haar op de rug draag je mij naar
de vrijheid van menigte, daar aan de rand ademt.

'Als het hart denkt, staat het stil.' (Pessoa)

Als alles goed gaat,
kom ik dan en daar te laat.

(a) Instructie voor een sneeuwvrouw: neem een sneeuwman, voeg dan en
daar twee ballen toe.

(b) Bij een incisie in je maag kwam een sneeuwwitte prop tevoorschijn.
'Een schimmelpaardje', zei de hoofdverpleger. Een zuivere drol, dacht
de anesthesiste. Ze maakten de chirurg wakker en met jullie vieren werd
beraadslaagd over de leefbaarheid van wat jullie gemeenzaam de aanwas
noemden. Toen de anesthesiste een vinger naar je aanwas uitstak, hing
poef! haar gezicht vol met aanwas en haar bril ook (definitie van geluk).
Jullie lachten en lachten en hoe hoger jullie kropen om op te ruimen, hoe
meer aanwas jullie vonden.

(c) Een bedelaar steekt zijn hand uit aan de poort en aan het einde
     van het levensgevaar. Boven naakt-geblakerde skeletten opent
     zich de hemel:

> *al wisten ze dat alcohol*
> *de pijn laait maar niet blust*

Maken we progressie, of zingen we gewoon een toontje hoger?
Wat voorhanden is, ruil je bij een bedelaar in. Voor een verhaal,
een doembeeld, een beurstip, een dienstencheque.

> *en wat er toen gebeurde*
> *ook dat ging voorbij-ij*

(d) In een sneeuwwitte wereld rij je de shovel en val je dan en daar in slaap

teder knerpt de sneeuwvrouw in de vroegte
van vogeltje dood, broertje gestorven
de verpleegster wast de aanwas met ijs
ik rangschik rotsen bij de werkwoorden
luipaarden dringen de tempel binnen
de wonderen zijn de wereld niet uit
ik had lang niet aan democritus gedacht
priesters offeren hun linkerhand aan
het zuiverende luipaardenspeeksel
ik adem de adem in mijn oor
ik rangschik, dus ben, niet onverschillig
voor vogeltje dood, broertje gestorven
de verpleegster wrijft een spierzalf open
de allochtonen zijn de wereld niet uit
zoals ik haar niet smelten kan, maar
de buizerd bekomt van de verdoving
de kat en de droogkast toen zij dat las
zij ademde diep totdat het goed afliep
de ziel wordt als *caprice des dieux*: scherper
zoals gesmolten sneeuw die bevriest
en veelzijdige diepgaande hersenen
gooi de lente zo hoog dat ze openbarst
onderzoekt men mij op teken vanavond

(a) Je denkt aan dat boven het hoofd waarvan je weet dat je het nodig
     zal hebben wanneer je kaalgeschoren bent, zonder te kunnen zeggen
     of het een sterkte of een dreiging is.

     Om te kunnen liggen heb je je doodgelopen vandaag.
     Je hebt niet eens meer de kracht om terug te zwaaien naar een chirurg,
     niet eens de moed om dienstencheques aan een bedelaar te geven.

     Je bloost naar een droom en
     ondertussen vergeet je (en het is onvergeeflijk) wat een belangrijker rol
     in je leven gespeeld heeft dan deze avond.

(b) Wablieft en Wablaft gingen naar de verdoemenis. Ze waren naar de
     kloten, je weet wel, naar de eeuwige jachtvelden. Ze hadden het tijde-
     lijke voor het eeuwige verwisseld. Ze hadden kortom waar voor hun pijp
     gekregen. Ze hadden niets meer om handen, waren het hoekje om en
     neergedaald in de liefde van de Heer. Ze bevruchtten Zijn akkertje.

     Maar op de derde dag reed een Amerikaans konvooi langs aan het
     massagraf met ook Wablieft en Wablaft erin. Ze zouden gewoon
     doorgereden zijn, had die promiscue niet van een aalmoezenier niet
     duidelijk een mannenstem uit de aarde gehoord, herhalende: 'Wablaft,
     waar ben je? Waar ben je, Wablaft?'

     Wie, denk je, is op die dag uit de doden verrezen?

(c)   ja! je zit op de trein en hij bezit de zin van de dingen
     ja! hij kruist wie bezit de zin van andere dingen
     ha! je groet wie meer zin bezit voor de dingen
     ha! de zin raast door met meer trein en andere dingen
     geheime boodschap 1: ik probeer iets uit te leggen

     neen! geen treinongeluk bij het groeten naar andere dingen
     neen! geen doodgeschrokken koeien van zin van dingen
     hé! met het vallen van de zin van vallende dingen
     hé! de trein stopt en je krijgt lekkere zin in dingen
     geheime boodschap 2: waar geen geheime boodschap wacht

     ja! je struint door de grote stad van zin en dingen
     ja! je vraagt naar een verlekkerd ding haar zinnen
     ha! lantaarnpaallicht over het zinnige van haar dingen
     ha! in de zon krijgt vannacht ding haar meerdere zinnen
     geheime boodschap 3: zo dadelijk komen we aan kom kom kom

het stapt.
het zit.

het komt naast het zit, het zet naast het oogt,
het oogt in het lacht, het knipt. Het draait en het draait
naar het beweegt-niet-beweegt. Het duwt
op het verzendt naar het beweegt-niet-beweegt.
Het duwt op het verzendt

naar het beweegt-niet-beweegt.
Het duwt op het verzendt naar het beweegt-niet-beweegt.
Het handigt op het duwt, het legt neer op het tafelt, het heft
naar het beweegt-niet-beweegt, het kijkt en het kijkt. Het knippert
en het knippert. Het kijkt en het kijkt.

Het handigt op het voelt, het glimt, het stijgt naar het denkt,
het daalt naar het weet, het schuift het versoest het zachtert,
het handigt in het kronkelt, het onhandigt.

Het schurkt, het knielt
met het denkt, het oogt in het lacht, het lacht in het oogt.
Het tuit op het tuit.
Het armt, het kriebelt op het krimpt, het lacht
en het duwt en trekt

en duwt en trekt en duwt en lacht en trekt, het armt. Het praat.
Het praat op het praat op het praat op het praat. Het strekt, het duwt
op het verzendt naar het beweegt-niet-beweegt. Het zwart.

Het legt neer op het tafelt.
Het draait naar het draait, het tuit op het tuit,
het opent op het opent het cirkelt rond het cirkelt rond het cirkelt rond het cirkelt,
het duikt onder het kreukt, het lost het roodt, het verschuift naar links het denkt,
het tuit op het tuit, het tuit op het bonst, het tuit op het denkt, het lebbert.

Het duikt boven, het zachtert en zachtert.

Het praat op het praat,
het staat recht bij het staat recht,
het stapt achter stapt achter stapt achter stapt achter stapt achter
grijpt, het grijpt en het grient, het valt naast het valt tot het inzakt.

Het armt rond het hobbelt, het handigt op het hobbelt, het cirkelt,
het draait naar het cirkelt, het armt, het tuit op het tuit, het armt,
het duwt tegen duwt.

Het schuift over voelt over schuift en zachtert het zachtert
en het haakt, het haakt in het haakt, het kruipt onder het kreukt, het ontknoopt,
het ontknoopt en ontknoopt en gooit weg, het heft op en over en gooit weg,
het schuift en zachtert, het duwt tegen duwt, het kantelt op het kantelt, het tuit op
 het tuit, het opent op het opent het cirkelt rond het cirkelt, het lost,

het ontknoopt en ontknoopt, het zakt en zakt, het schuift en zachtert en hardert,
het duwt en schuift onder het kreukt, het daalt en haakt en kantelt, het spreidt
en hardert onder het bestijgt, het dobbert onder stijgt het dobbert onder daalt
het kijkt naar het stijgt het dobbert onder daalt het dobbert onder stijgt
het dobbert naar het kijkt het dobbert onder stijgt het dobbert onder daalt
het dobbert onder stijgt het dobbert onder daalt het dobbert onder stijgt
het dobbert onder kraakt het dobbert en het kraakt
het krijgt en het kraakt het krijgt het kraakt
het krijgt het kraakt het krijgt
het kraakt het krijgt het kraakt
het het,
het het.
Het.

ja presley zong al hoe we wouden bepotelen, elk om de beurt,
we houden ons hoofd boven het oestrogeenrijke water.

en dylan zong al hoe we huilen en vrijen als een zeekoe
en als het ergens tussen rio en parijs niet anders kan,

verwijderen we elkaars blinde darm, desnoods met de tanden.
de beatles zongen al hoe we zullen dansen op krukken

en beck zong al hoe we liefde als zonlicht op ons door
kanker uitgedunde haar willen voelen, we houden adem in

wanneer we duiken naar omega 3-vetzuren op de zeebodem.
radiohead zong al hoe we vissen zijn die praten over wormen.

vandaag staan we rechtop, doorweekt, en zingen we samen
met lou reed hoe we elkaars warmteregelaars besnuffelden.

hoe we niet meer hengelen. oogsten wat we zaaien.

Avond

aan

avond stalt hij in een yoghurtglas het fijn stof van die
dag uit op een kruidenplankje met erboven foto's van
regensediment aan zijn venster met op de

achtergrond glansloze daken en

acaciastronken, voorovergebogen

als oude, korstige mannen. Tijdens het braden van een
maal voor twee luistert hij naar het gewapper van
theedoeken en kwakende kikkers; dikkopjes drijven
boven en vliegen mee met de

aflandige wind. Zijn groezelige, dorstige dorp verstrikt
zich in groenteresten en sigarettenpeuken, terwijl een
rivierbedding zo veel kunstmeststoffen bevat dat de
boeren hem als hun persoonlijk bezit beschouwen. Op
de velden steken paarse bollen uit de grond. Mensen
druppelen niet meer samen, ze komen

aangewaaid. Bij valavond, terwijl hij bij zijn geliefde een
verandering influistert, denderen containers voorbij
vol gedroogde zeepaardjes en hun eindbestemming
is taboe. Hun tarifering is taboe. Uren na de laatste
trein wordt hij gewekt door het gehis van pinguïns in
zijn

achtertuin en hij staat op. Hij trekt een deur

achter zich dicht en loopt.

Bussen met eindbestemming rijden voorbij tussen wagens
gebouwd om voetgangers

buiten te houden, aan de voorbumper klevend. Duizenden

victoriabaarzen spartelen op het droge en hij omhelst
en

beweent ze; hun schubben

blinken in de droogstaande zon. De koninklijke tuinen, met
fonteinen mooier dan Parijs, zijn gesloten voor het pu-
bliek. Op het straatfeest rond de houtskoolvuurtjes en
de geur van gemarineerd vlees

blijven kleine kinderen onder de oksels hangen, nippen
achtergelaten druppels tafelbier of volgen hem het

bos in. Ze zoeken mos om zeepaardjes te redden, maar wat
ze oprapen, verkruimelt tussen vingers. Hij krabt in zijn

baard, spuugt een klonter uit, somt

binnensmonds zijn lievelingsgedichten op. De meest roe-
keloze kinderen, die hun oor aan zijn slechte adem leggen, zijn ook de kinderen die als eerste terugrennen of
verdwaald raken. Zingen is taboe. Huilen is taboe. Intussen wandelt hij naar een wolk in de verte tot de

bomen verdwenen zijn en waar een akker geurt naar regen
die moet komen. Hij legt zijn hoofd te rusten op een
suikerbiet met een rode, gestolen jas om zich aan op te
warmen. Een rivierbedding houdt de nacht verborgen,
tot de zon de

borst natmaakt, figuurlijk. En zonder op de maan te wachten valt hij in slaap en wanneer hij wakker wordt, is de

biet

beurs. Weggedoken tussen twee goederenwagons reist
hij het goede leven tegemoet: hij telt gesloten over-
gangen, komt tot vijf en geeft het op. Hij telt gevlekte
koeien, komt tot acht en kijkt de andere kant op. Hij zit
met een liedje in zijn hoofd dat niet van hem wil zijn.
Wanneer de

buitenlucht afkoelt, trekt hij een deur achter zich dicht en
schuift

bij zijn geliefde aan in

bed. Ze maakt gebaren in haar slaap die lijken op pogingen
om hem te troosten voor een daad die hij

beweert niet gepleegd te hebben. Kwallen zwemmen
voorbij en hij krijgt ze niet geteld. Hij trekt zijn ge-
scheurde hemd aan, zijn rafelbroek en sandalen en
opent een deur die tot gisteren nog knelde. Hij hoort
in de verte

containers voorbijdenderen en twee zich verzoenende
buren verbijten de pijn van het neuken, het raspen van
de binnenwand om — komen is taboe. Gaan is taboe.
Ze verzoenen tot de lippen kloven. Hij kijkt op tv naar
herhalingen van George

Clooney en zijn nieuwe schoenen, naaktfietsers op de
Avenue des Promenades in

Cannes, belspelletjes waar je niet meer voor hoeft te bellen. Om het uur ziet hij zichzelf een presentatrice aan
de kant duwen en een sonnet aframmelen:

+0,6°C: in regenwouden stikken de mangroves
         de permafrostgebiedTEDUM aan 't smelten
         in bergen trekken gletsjers zich TEDUM
+0,8°C: het amazonewoud TEDUM herstelvermogen

         in veenTEDUMen komt methaangas vrij
         de landbouw brengt TEDUMheid minder op
         in rijstgebieden droogt het stuifTEDUM
         dit is NU en wat staat ons te wachten?

+1,4°C: in stadsTEDUMen dringt TEDUMzout binnen
+2,0°C: TEDUM verzuring sterven schelpdierTEDUMton
+2,1°C: smeltwater is TEDUM TEDUMgebouwd

+2,3°C: malarTEDUMmigreert TEDUMeuropa
+ 3,9°C: TEDUMde stromTEDUMen droog TEDUM
+ 6,0°C: TEDUMstofarm TEDUM, TEDUM het Perm

29

Nadat een voice-over meldt dat er geen gewonden vie-
len, trekt hij de deur in het slot en wandelt naar het

centrum. Aan het openluchtzwembad klimt hij over het
hek, doet wat kraaien wegvliegen en klimt op een af-
gebladderde springtoren. Vandaar overziet hij

cirkels op het bassin. Groene

cirkels als assen van

citroenschillen. Hij is het tellen verleerd. Een twaalfjarig
meisje komt naast hem zitten en nadat ze vertelt dat
ze zijn geliefde zal zijn, legt ze haar hand op zijn borst
en haar hoofd op zijn schouder. De zon komt op boven
windturbines. Hand in hand, alsof hij haar naar school
brengt, wandelen ze naar het park en likken aan

cactussen om restjes rijm. Hij plukt de bloem op het hoofd
van een peyote en stopt haar in haar haar; de blaadjes
verleppen onmiddellijk. Rusteloze slapers steken van
achter gordijnen hun hoofd uit het venster en kijken in
de verte. Komt vandaag een

catastrofe? Is een ontploffing al te horen? In afwachting
schraapt hij olie van bijna vergane planten op stoep-
tegels en ruikt aan zijn nagels. Het meisje plaatst haar
voeten op zijn voeten, vraagt om op zijn rug, dat ze
de zee nog nooit gezien heeft. Hij raapt een steen op,
krijt met steen op steen, wrikt los en geeft het haar
als afscheidsbericht. Angstzweet is taboe. Achterom-
kijken is taboe. Zij trekt een

deur achter zich

dicht.

Dorpsfonteinen worden gedempt. Palmbomen schenken
geen

dadels meer, enkel nog schaduw en brandgevaar.

Daarom begeeft hij zich zuidwaarts, waar een horizon
rotswoestijnen invaart, volgt windlijnen, knoopt in zijn

hemd heimweetrajecten en kijkt rond. Zijn zweet

droogt sneller op

dan het beschermt, hij kan niet blijven staan of liggen of
zitten. Ergens onder een

duin ligt een schacht bedolven. Hij ruikt aan zand en steekt
wol in een kuil. Wanneer het

donker afkoeling brengt, haalt hij een rauwe baars boven

die hij eergisteren nog beweende, eet hem op en slaapt in.
'sOchtends wekt hem

de zon, altijd weer

de zon. Wanneer hij opstaat, stroomt het plots, stroomt
het tussen zijn billen naar buiten, komt het langs zijn
slokdarm naar boven, trilt het in zijn ogen, zakt het in
zijn bloed. Hij had zijn geliefde willen influisteren

dat men een man niet kiest om zijn

deugdzaamheid, niet om zijn

dna. Hij puilt uit, wordt scherper en scherper. Wat hem
aan vloeibaars rest, verdwijnt in het zand. Als er al een
vogel rondcirkelt, zal hij niet toehappen.

neen   een zon kiert aan het venster
die sterk op de lentezon lijkt.

lente komt in de vorm van regen. ze wordt
in de lucht gegooid en
valt kapot. ze moet openbarsten, niet?
of we willen of niet.
misschien is het goed dat dingen moeten.

ik ben al blij dat je me gebeld hebt en dat we niet enkel op onverteerde
herinneringen moeten leven!

ik zit nog altijd ver vanbinnen in mezelf. nu en dan kom ik buitenpiepen en
vind ik dat leuk en schijnen de anderen het ook leuk te vinden maar dan trek
ik m'n kop weer in, waarom, weet ik ook niet. op 1 of andere manier hoop
ik zelfs dat de lente niet te rap komt. toch heb ik het zekere instinctmatige
gevoel dat het beter is dat de lente komt, als je ze vindt, gooi ze hoog in de
lucht! dat zal ze zeker ook graag hebben! hou je wel klaar om ze weer op te
vangen voor als ze dat grappig vindt, misschien wordt ze graag in het rond
gedraaid en loopt ze graag mee aan je hand zo lichtvoetig dat ze begint te
vliegen en zie je alles bloeien van boven ruik je de vochtige lucht en kun je
op je rug zweven zoals in de dode zee!

misschien is de lente ook treurig en heeft ze geen zin om naar buiten te
komen, en hoe langer ze wacht, hoe triestiger het hier wordt en hoe minder
goesting ze heeft. maar de winter is ook niet onuitputbaar, die heeft ook op
tijd z'n rust nodig. dan zullen we misschien een tijdje helemaal niets hebben
en helemaal alleen zijn. zo voelt het nu, toch?

32   maar ze zal prachtig zijn als ze er is

die avond ontplofte mijn hoofd en glipte mijn hart
uit mijn keel. tegen dat ik mijn neus en mond en oren
samengeraapt had en mijn ogen ertussen gewrongen,

was mijn hart het toilet in gevlucht. ik zag nog net
hoe het zich doorspoelde. sindsdien leef ik
zonder hart en met gehavend gezicht.

een hoofdpersonage verstopt zich
in een droogstaande waterput,
of door urenlang vanop een bankje
naar mensengezichten te kijken.

ik ben die avond naar buiten gelopen tot aan de rand van het bos, ik wou van
mezelf weglopen, maar het is niet gelukt. lichaam en ziel bewijzen dat ze
goed aan mekaar geplakt worden bij onze assemblage.

alles verandert voortdurend (dit is nu geen algemene filosofische stelling
maar wel een onrustige toepassing ervan op die avond) en ik denk dat dit pas
zal ophouden een keer het onveranderbaar tot het verleden behoort. ik zat
ermee in dat je een domme streek zou uithalen. als ik zo plotseling wakker
word, denk ik soms dat er ergens iets ergs aan het gebeuren is.

hou mij op de hoogte van de voorspelbaarheid van de toekomst.

we ruilen cannelloni voor oesterzwammen,
kikkers kwaken rondom het meer, mijn hoofd
op je buik en mijn ogen naar de sterren,
het gedeelde optimisme dat het niet goed komt
met de mens maar dat we ons voor het heelal geen zorgen
hoeven te maken, men insinueert *auf deutsch*
dat we vermoeid zijn 'van het vele wandelen'
en ik knik ja,
glibberige stenen onder de voeten, watervallen
die rotsen uithollen, smeltende sneeuw op je borsten,
hoe we andere mensen zijn voor en na het vrijen, nooit twee
keer dezelfde persoon, je huppelt
naakt als een bever door de woonkamer,
l. krabt aan de deur, sneeuw tot op een halve meter
van het zwembad, we zitten aan een tafeltje
en alles kan gebeuren, de twijfel of het montesquieu
of macchiavelli was die ons samenbracht, een kijkgat in een vesting
met uitzicht op een wit decolleté, gestroomlijnde

haartjes op je huid, ons zweet
verdwijnt in de douche, het park onder de brug,
pupillen vernauwen om een sneeuwbal beter te mikken,
tranen, beenderen en verlangens, we persen
appelsienen, zingen mee met de mens. *delete all.*

we hebben samen (l. en ik) op de trap in het bos in de zon 2
sandwichen gegeten. ze liep nu en dan eens tegen mijn benen aan
omdat ze haar frakje niet aan had en er ligt elke dag een laagje
sneeuw bij. heel zelden mispakt ze zich op weg naar een spar en dan
zie ik ze plotseling huppelen als over hete kolen!

en gelukkig dat er sneeuw lag, anders liepen we nu nog rond! onze
voetsporen hebben ons gered (les: altijd op de grond lopen). en
gelukkig dat sneeuw mooi is. gelukkig bestaat schoonheid. wel,
hebben we zin voor schoonheid. en kunnen we ze zien horen voelen
denken scheppen koesteren. als je hier was zou ik je een dikke
sneeuwbal gooien! en misschien zou ik de doelman te snel af zijn.

op rtbf was een leraar die 20 jaar geleden een paar leerlingen
gefilmd had en die ze nu die beelden liet bekijken. die kinderen,
van een jaar of 6, zeiden allemaal zulke gedurfde en heldere dingen
en van allemaal zou je gedacht hebben dat ze genieën waren maar
nu was bvb het meisje dat een gedicht meegebracht had naar
school over haar kaka, een vrouw van 27 met 2 kinderen die in een
sandwicherie werkte en die je dan zag koken en het was zo'n
doodgewone vrouw die altijd ja knikte en haar mening niet zei en ik
dacht echt van 'waaaaarooommm??!!!' die gedachte is van mezelf,
in het programma was vooral sprake van sociale klasse. maar dan
dacht ik dat het ongelooflijk is hoe kinderen vol capaciteiten zitten
en dat ze soms helemaal afgestompt worden door te horen van
'wees toch normaal'. dus het was grappig, vooral dat gedicht en het
stralende kindergezichtje erbij en het hele gesprek over de kaka
met de andere kinderen en die normaalgeworden vrouw die zichzelf
dat zag zeggen aan 6 jaar en er helemaal gegeneerd over was. en
dan ook een jongen die gezegd had dat het huishouden voor de
vrouwen is en altijd voor de vrouwen zou zijn.

waternevel ombocht een richel

motregen dromt in het mondgootje
van spuug en slik
zijn riolen afgesloten
adem neuswaarts
bij rust spoelen bloedstrengen aan
ik ben een bewust etende, seksueel bewuste, trouwe man

de rug uit rollen kiezels
tropisch melanomenmoeras
ademt stof en mijt op
een muggenspoor gelucht
onder een handdoek
maken afspraakjes afspraakjes
ik ben een verantwoordelijke, meelopende, bewust etende man

ik zit er hier maar onnozel bij, bij het aanslepende gevecht tussen
het virus en mijn lichaam. defensie meldt dat het niet meer lang
zal duren met dat ongedierte. binnenlandse zaken houdt zich
diplomatisch stil. het enige wat ik weet is dat de troepen me totaal
draineren want ik heb voortdurend dorst maar als ik drink doet
het pijn en hun gebons komt door mijn oren naar buiten. als het zo
verder gaat, ga ik een externe dienstverlener zoeken. outsourcing
is voordelig naar het schijnt. en met al dat voetvolk, als ze het
alleen klaarspelen, zullen ze dan beginnen protesteren voor een
hogere soldij. 'k zal ze eerst wat versterking zenden zodra ik
thuiskom vanavond. groenten of zo, en dan morgen sinaasappelsap
met citroen (vanmorgen was ik er te lui voor)

de week is voorbijgevlogen als een regendruppel. ik wou je alleen
nog zeggen dat ik je graag zie, alleen dat refrein, telkens opnieuw.

ik heb een tweeling in mijn navel
die bloedt als ik hem over het hoofd krab
ik zie er ook naar uit om je terug te zien

momenteel heb ik geen zin om naar het bos te gaan ik heb niet
genoeg materiaal om goed te kunnen nadenken over de vragen
die ik me nu stel en als de zon schijnt, ga ik liever in de zon, dus
is een stad vandaag beter.

'k heb momenteel niet zoveel te schrijven. de lucht is blauw en de sneeuw is wit, dat is al veel. dat ik mijn hand uitsteek en je bil voel en je goed kan vastpakken en je gezicht zien.

nu op dit moment hou ik van je.

en nu nog!

nog altijd!

goeienacht!

ps nu ook nog en ook nog als ik de computer afzet en ga slapen en eventueel in slaap val maar vanaf dan is het niet meer onder mijn verantwoordelijkheid.

al wat ik nog heb van mijn moeder
zijn de wallen onder mijn ogen

de aarde werkt zijn opgehoopte spanning uit
en god hangt naakt aan een taal

het staat vast dat er een grote landverschuiving zal plaatsvinden waarbij een stuk van het vulkanische eiland las palmas in de atlantische oceaan zal glijden. dat zal een megatsunami veroorzaken waarbij de hele oostkust van amerika vernietigd wordt, alleen weet men niet wanneer juist. het kan bij de volgende vulkaanuitbarsting, maar het kan er ook nog een paar duren. er is 1 om de 200 jaar, de laatste in 1949, geloof ik. je voelt je hier echt op een speelbal. erg vind ik dat niet. het is al 1 kans op miljarden miljarden miljarden dat we geboren werden. 't zou alleen miserie zijn.

hier of daar moet een adder onder het gras zitten. waar ik vandaan kom, heel veel erger, niet te vergelijken zelfs, je incasseert en incasseert tot het allemaal alweer over je hoofd waait. het maakt het mij ook gemakkelijker om in het koude zwembad te springen.

jouw zin van zachtjes dwarrelen is echt blijven hangen! ik
voel en zie het telkens weer. het voelt vergetend aan.

twee bladzijden staan naast elkaar in een boek.
als men er één uitscheurt, is het verhaal
verloren. tracht zacht in bladgedwarrel
naar beneden, dat je niets verplettert.

ik was heel gelukkig, de vliegtuigen stegen op, de
vogels schuifelden (en een paar ervan speelden in op
elkaar, ofwel deden ze een rollenspel, ofwel zangles
waarbij de ene voorzong en de andere nazong, ofwel
iets wat ons menselijk begrip overstijgt) en de poes
jaagde op bladeren op de grond die waarschijnlijk hun
tong uitstaken naar haar. ik voel me er over de toppen
van de bomen bij!

ik kan me je wel voorstellen in de sneeuw, in een
donker café, in de trein, op een boomstronk, maar niet
te midden van huizen en winkels. ik wil toch een beetje
— een heel klein beetje — een ietsepietse beetje — een
homeopathisch beetje — nuchter blijven.

[hier heb ik bij het nalezen een groot stuk weggedaan
maar niet erg, het ging over alleenzijn en gemis]

je krijgt een egel helemaal in een bolletje gerold en
door de stekels heen kijkt zij naar buiten en wil je
vragen om als we elkaar zien morgen wat zacht aan te
gaan zodat je kan vinden hoe te ontrollen en niet te
wachten tot het vertrek en dan zelf weg te lopen.

ken je een remedie om af te geraken van 'nog 1 nacht'
van helmut lotti?

ja-knikkers pompen olie op, maar ja, ik ook
strijk statische elektriciteit uit je haren.
statisch het moment, ajb.

het is niet uit nood, of om me achter iemand
te kunnen verstoppen, of me aan iemand vast
te hangen, of omdat het 'normaal' is, of om
te bewijzen dat ik een man kan krijgen, of om
kinderen te hebben, of om niet alleen te zijn,
of om iemand te hebben om voor te zorgen,
of om iemand te hebben die voor mij zorgt,
of om een zin aan mijn leven te geven. het is
verrijkender, het geeft meer kleur, denk ik, en
wat ik vooral zoek, is compliciteit. het is dingen
samen beleven, en over vele dingen die bij ons
opkomen te kunnen spreken, nieuwe ideeën te
vinden, elkaars interesses te ontdekken, van
elkaar genieten. het is elkaar de vrijheid en
terugtrekking gunnen die we nodig hebben.

donderdagnamiddag in de sneeuw kwam je
me voor als een vriend die ik lang niet gezien
had, en die me even uit het leven trok en me
gelukkig maakte. en tegelijk had ik het gevoel
dat ik jou ook gelukkig maakte, wat nog
plezieriger was. maar dan komt het me ook
voor als een moment dat zo kostbaar is, juist
door zijn zeldzaamheid, alsof het weer jaren zal
duren voor zoiets terugkomt.

op het vliegveld hoort een toerist
afscheid te nemen van barcelona, berlijn,
praag. en dan stond je daar terug.
het fruitsap is uitgespreid
over de vloer. ze raakt niet meer
in de tetrabrik.
een mooie, blinde vlek op de vloer.

jij intrigeerde me, zelfs nog vóór ons
gesprek. ik had dagenlang het gevoel
helemaal door elkaar geschud te zijn. het is
misschien zoals iets dat je uit de originele
verpakking haalt. je krijgt het er meestal

niet meer in zoals het eerst was. en je vraagt je met bewondering af hoe ze dat er in godsnaam zo ingekregen hebben en, na een paar pogingen, waarom ze toch áltijd álles in veel te kleine dozen steken.

1 ik

   veeg

    met vocht

     van dieper meer

      haar laatste lippen

      van mijn mond, klad

      de sneeuwvrouwen uit

     mijn hoofd en verdwijn in de

kraalhoek van een aangespoelde snoek, waarlangs drie ganzenkuikens, opge-
schrikt door een labrador, naar de moederflank trappelen en waar een blauwe
reiger zittend in een wilg een bataljon uitwerpselen lost, liggen broodzakken
en blikken op het donzige, nog halfnatte gras met madelieven, boterbloemen
en hondenkeutels, een houten paard is er geankerd in zand, in een aanpalend
appartement leunt een ingepakte prosopocoilus giraffa tegen een computer-
wand en aan de overkant bepikt een eend een mankende eend, schuift een
stoel weg van een stoel, nestelt een galwesp haar eieren in jonge eikenloten.
2 In een soort van noot omkapselt de eik de nesten, een slak op een iep duurt
korter dan mensen, op kortere pootjes dan een egel naar een buxushaag
springt een kikker uit een fontein, ligt een blankvoorn zomaar op het water en
langs een snelweg besluipt een schaduw een kat, blootsvoets in het gras is
balanceren tussen het sublieme en buiten de orde der symbolen vallen, waar
blootsvoets in de stad nog aanspraak maakt, de weg naar het bos waar vroe-
ger bos, benen achtervolgen een reejong en hangen vol met teken en vijftien
mezeneitjes, in een wilgentronk verstopt, breken uit in opstandig geluid, het
gulzige opslorpen van een meelworm door een vleermuis, terwijl een zeekoet
onbewogen op het besneeuwde strand ligt, zijn witte buik zwart van olie, en
een buizerd speelt voor dood uit zelfverdediging wanneer een vrijwilliger
haar vleugel uit een prikkeldraad scheurt, net als een jan-van-gent uit een net
op het strand. 3 Hij duikt nu weer met grote blauwe ogen achter vis, geklok
van een hen klinkt haperend na een hondenbeet, een kuiken dremmelt in een
rioolput, een pin dringt in de geknakte vleugel van een torenvalk, de teen van
een roerdomp is rot door de vislijn die errond gespannen, een egel snuift luid,
ontwijkt een naald, een zwaan waggelt rond op zijn breuken zodra hij een
vrouwtje ziet, een hart vormen hun hoofden en dankzij een neutrale neven-

schikking vliegt onhoorbaar een kerkuil voorbij, ogen zitten dicht van angst en myxomatose, van zonlicht op de flatscreen tijdens de uitleg over het steeltje van een peer als er nog een blaadje aan zit, de afstandsbediening werkt niet bij paarden die haastig drinken en hinniken en stalwaarts draven, en kijk! een regenboog, licht, als dat prachtig valt op een boom, een struik, een bloem, of gewoon de lucht, zoals vanavond, hier. 4 Daar zijn geen woorden voor, voor een Fisher-Price-harkje dat dienstdoet als kam, of voor zand dat dwarrelt in een flessenhals en uit een opengereten nek puilen organen, die een merelin van piepen weerhouden, ook wanneer ze, bevrijd uit de klauwen van een munchkinkat, tussen plank en gras met een stamp uit haar lijden verlost wordt, daar zijn geen woorden voor nodig, voor de vlucht van een ever die langs een rivier een tent ziet en in paniek de rivier overzwemt, langs tegendraadse takken rent, gebroken bruggen, hinderlagen, glibber en gure kou tot waar een viertal pasgeboren roeken zacht doorheen de noodkreet van een barend schaap piepen, meekrap gaten slaat in een dijk, op een stille zondagmorgen een sperwer op de stoep van een bankkantoor zit met een muisje in zijn klauwen, rijp uit het hakhout valt als een leger voorbij marcheert, mierenpootjes zonder kootjes. 5 Ze dragen hun buit uit een tarweschoof en ... krak! zegt het broekje van een wild op en neer springend makaakje, krak! zegt het lege schoteltje melk waar een egel wat braaksel op achterliet, door een koe die ondersteboven in haar drinksloot weerspiegeld hangt, of een spiegel hoog boven die de grondbewegingen nietig maakt in een hal met een zon op de muur en ook wolken en af en toe komt mist, wat waterdamp met kool, teer en zwavel dringt op klaarlichte dag bedden en bronchiën binnen, in een plas bleekwater kronkelen maden, in een groene kamer ligt een perzische kat vol zweren, nog levend of al dood, luidt de vraag bij acht doornhaaitjes in een gedissecteerde uterus, en als antwoord plakt de schaduw van een meeuw op een rots terwijl een roodborstje in een meter vliegen snel nog enkele nuances legt, of bengelen elzekatjes naast oude proppen, of spettert het ene vermelde bosvruchtje na het andere in volle yoghurt, maar het kan niet aan het ligbad liggen dat een spin erin verdrinkt, het kan niet aan getrappel van een lijster liggen dat een worm zich naar de hemel wroet, dat een grasspriet zieltoogt in een dakgoot terwijl hulst een pad begroeit, is het pad verlegd, breder steeds en breder omvat geiteblad roos en rots, een pop kraakt en een atalanta pompt zich op. 6 In FSC-gecertificeerde bossen slaat hij de vleugels uit, over smalle strookjes blauwglinsterend glas verschiet een libel, vliegt een leger kraaien langs vergeelde rivieren en afgeschilferde kruisen, uit het lichaam van een varken lekt een bloedworst, zij krijgt geen mooie dood met ingewanden in haar schoot en netjes begraven hammen, maar een ara die spottend haar kop tussen twee haast lege voederbakken buigt. **7** Dof pikt eronder een doffer op wat zij niet belieft, zijn nagels ingekeerd als van een siberische kat die een smachtende borst beklimt, als een ekster hoog of laag in boom of haag zomernesten begint, losgeraakt of uiteengereten, blootgelegd door najaarswind, zo drijft uiteengevaren gele plomp weer naar elkaar, kan een tureluur, kan een glimworm kort haar licht blussen, de tijd voor een muis om met haar kroost aan haar tepels ongezien in het koren te schieten, met vuilnis smeulend in een achtertuin, met stikstofkunstmest goedkoper dan traditionele kennis, met consumenten die de verrijking en verzieking van families mee helpen bekostigen, want ja, een pad vangt in zijn vuige oog een glimp van eeuwigheid op, teder of ongenadig, net voordat een hiel zijn kop, en plets! van licht- over donkergroen, grijzig zeegroen, blauw en kort erna naar purperachtig rood en eindigend bij diep purper kleurt een purperslak, sabbelen vliegen aan de randen van met bloedkorsten bedekte monden en neuzen, geselen windstoten rotsen en oren voor een bruidssuite met sterren aan het plafond en luchtbellen in rioolbeken in de zomer, fris of rot, alles glimt van loodwit, wedezaden verspreiden zich met de wind. **8** Ze schieten op elke broek of tong, op te korte achterpoten fokt een Duitse herder zijn heupdysplasie – zijn lichaamsbouw is voorbestemd voor pijn – maar de sneeuw herleidt een landschap tot lichtgrafieten schapen op een wit blad, een olieachtige wolk barst uit de broedzak van een zeehengst. **9** Er duiken zeeveulentjes op in schaakstukvariant, in limonaderietjesvariant, in bonsaiboomvariant. **10** Ze leven zonder gebit of maag, maar hun ogen draaien onafhankelijk, ze zwemmen in paar, hechten zich aan zeegras, koraal of elkaar, sterven bij de minste stroming of in souvenirhandels en aquaria, in een zoo waar een panda vergaat van de stress door het volk dat een ijsbeer trekt, zijn dieren een vergaarbak van het vergeten, de zee een spoelbak van gescheten, ligt een steen op de grond die met wat spuug de kleur van een hooiberg kerft en ook al liggen dode schapen op motorkappen en caravandaken, grabbelen hele bossen boomwortels naar de hemel, groeit uit de knie van een cicade een bizarre stomp, een zwerfhond trippelt mee met jongeren in onderbroek die dansen in de storm, een rondedans of kwispeldans doet bijen uitvliegen naar voedsel of een holte uit de wind. **11** En als ze niet uitvliegen, likken ze de vreugde van de dans op, lummelen wat af, ruiken en raken elkaar aan en de volgende morgen doorblozen honderdduizend rozen de dalkom, schoonheid voor een leven in één dag verkwist, en aan fluorescerende algen en tandbrasems de eer om heilbot en zandbaarzen, kreeft en garnalen, rog en hoornkoralen van het menu te halen, als kleine klontjes drakenbloed dat donkerder dan karbonkel, helderder dan kristal en vuriger dan robijn, als een muis in een bijenkast die doodgestoken en in propolis gewikkeld na het uitzwermen achterblijft, als een made die de muis zuiver opruimt en weer tot de levensschatten behoort, een met stenen bezaaid, door wilde tijm overwoekerd landgoed, bezeten van tsjirpende platanen, waar een graafwesp hel en schril zijn poten tegen een grindsteentje zet, terwijl ondertussen een rups, verlamd maar bij bewustzijn, de wespenlarve in zich voelt uitkomen die zich eerst met vet en spijsvertering, pas aan het eind met hart en zenuwstelsel voedt, want waar de meeste zuivel binnengelepeld wordt, schuift de botontkalking het vaakst mee aan tafel, waar mos een bron omsluit, welt water uit een mond onder in steen gerijpte druiven, kraakt een flamingo kievitseieren en schraapt een stier in een arena zijn hoeven. **12** Een hagedis glipt eronder vandaan, onder een gewone plataan blaft een maltezer achter duiven aan en het waait dat skaggerak en kattegat niet in elkaar overvloeien — een dode zone — waterleidingbuizen steken uit een stoep en op het water drijven oude fornuizen, een riool van gier en slijm, de zon een spotlight, slabladeren krullen, een lege krat drijft tussen meerpalen met verroeste koppen en een vleermuis scheert vlak langs een raam waarachter een nachtkastje kraakt — een dode zone — een grauwe borstel bergt zich 's winters in de plooi van een gordijn en omgekeerd legt een hagedis op een terras het loodje, verdroogt tot prooi van mieren in dubbelspoor terwijl krekels gestaag zagen, gestager dan bij ons een kraai, ver van de werkelijkheid afgedwaald, in een grot met berenbotten en tekeningen van ossen op het plafond. **13** Daar liggen drie paar keverpootjes keurig opgevouwen op een keverbuik, daar zwelt uit honderden felgekleurde krekelkooitjes opgewekt een vermarktbaar gezang aan, zoals een mot mogelijk weet dat ze verloren is wanneer ze, misleid door een vlam, een huis binnendringt, duiken lezingen van al lang vergane organen en vervlogen vogelvluchten op in brokkelrotsen, heeft zee een puimsteenhoop gevonden om in en uit en in en uit en in en uit, op de weg ligt een diepvrieszakje met braaksel — een dode zone, een dode zone — en ook al beweerde Schulz het omgekeerde, het is net een wonder dat onder zo'n goedgelovige maan de nacht in de zilveren moerassen wel wemelt van het kikkerdril, dat het wel kuit schiet, wel losbreekt in het gekwaak van duizend roddelende snuiten, op die kiezelvelden aan de rivier, waar gedurende het hele jaar een glinsterend net van zoetwater sijpelt en waar ingevoerde haviken de natuur weer in haar plooi moeten leggen, tussen een waterval en een meer, waar het wemelt van hoornaars, glazenmakers, kommavlinders en heremieten en waar op een kin ketchup droogt, op een gelige rivier stramheid, zeulend aan zijn bron, een beek met kantelende rotsen en hagedissen in rust, tussen lotusbloemen in een kweekvijver vreten zeeluizen aan het vlees van een zalmenkop, soms tot op het bot, en de tien laatste dagen van zijn leven krijgt een zalm geen voedsel meer. **14** Daarna vliegt hij met doorgesneden kieuwen in een watertank en bloedt en sterft, of hij keert naar zijn geboorteplaats terug om kuit te schieten en sterft, voorbij een halocline waar zoet overgaat in zout, voorbij een wei waar een bladwants met vormloze worstjes als voelsprieten, ongelijke poten en iets zwarts dat uit zijn oog groeit op een klaver met rode bladeren en gele bloemen zit, zijn de misvormden misschien zij die het nog net overleven, voorbij de stuwdam die springt steekt goudcyanide grenzen over en sleept snepen, herten mee en de honden die zich op dit festijn werpen, alleen een ooievaar stijgt somber en koninklijk op en vliegt bij avondschemer over een besneeuwde top en een vlinder probeert te vluchten tussen kriskras geparkeerde auto's, een schoenlapper of een keizersmantel, wie weet het verschil nog, wie proeft het verschil nog tussen kabeljauw, koolvis, heek, wijting, schelvis, pangasius of tilabia in de oven op een bedje van prei, lupines zijn bedekt met twee centimeter vulkaanas. **15** Twee centimeter maakt die vulkaan een eiland elk jaar breder, over een meer hangt een nevel als een immense tot licht verdampte perzik van pastel en auto's als verkouden honden, als een stompsnuitzeskieuwhaai met reflecterendgroene ogen zomaar in het zicht van de camera's komt, bij nieuwe maan. **16** Van die haai wordt verteld dat hij zieken en gewonden opruimt, in water dat helder is bij gebrek aan plankton zeilen zijden wolken, in een dreef van berken schieten boompiepers schielijk naar het ijle, er is volop leven, paren, rusten tussen de ribbels van vulkanisch asfalt maar geen sardines, tonijn en baars, de grotere vissen kortom, al zwemt een blauwvintonijn rondjes in het bad van een pretpark, vetgemest om naar Japan te verschepen, een groep dolfijnen duikt nog naar de zon, maar voorzichtig met saffloer met zijn bladeren vol stekels, met zijn poot aan zijn nek gebonden kan een kameel niet opstaan, kraakt een kool op een veld en verder niets dan een lome zwerm vliegen in een schuur boven abrikozenjam en wanneer de zware deur openzwaait, een wolf, wit van vacht, aan een poot enkele druppels bloed — een dode zone — terwijl papier naar bruinkool geurt, klemt een sperwer een nachtegaal met bonte hals in zijn klauwen, klemt een kolonie zee-egels zich rondom rotsen als heupen, resten van goden liggen log vanaf de grond naar een bron te wijzen, waar een schrale slang door drasland schuift en over een schilferende muur bij een geraamte gaat liggen duren, de droge tepels van kamille verpulveren

er

en

zand vlecht zich in serpentenhuid, verlaat mee deze plek, naar een kraamgebied voor witte haaien met een tandbaars tussen de tanden. **17** Een makreelhaai bijvoorbeeld ruikt al op vijf kilometer kleine bloeddruppels en een vliegende vis overbrugt vijftig meter lucht, dat een Amerikaanse kwal verlekkerd is op eitjes van Russische ansjovis, dat een rivier richels uitslijt, weerhoudt caesium-137 er niet van landafwaarts te glijden, een anemoon van plankton aan zijn tentakels te lijmen, zelfs poolwier laaft zich aan een week zonlicht per jaar en een walrus ruikt mosselen en rolt over een andere walrus. **18** Er hangt snottebel en bloed aan zijn tanden, een radioactieve wolk, methaan borrelt op uit toendra hoewel in het bos kruiden en korstmossen groeien en er muskusossen, wezels, elanden, poolvossen, veelvraten en lemmingen rondlopen naast een hert dat voedsel en kleding geeft in ruil voor een wisselende beweiding, want in boommoswouden overleeft hij, maar in kaalgekapte velden, bos verdwijnt door bijl, door vliegtuigen met herbiciden, valt sneeuw harder, lastiger weg te schrapen, voortdurend gevuld met ander water is een lichaam, gevuld met wriemelende kermesluizen is een wagen. **19** Ze verspreiden een azijngeur en het regent uit magnolia's en sneeuw tintelt in een hand, hangt aan bergbrem als aan een haven een vioolkleurige zee en een walvis duikt snel, te snel en krijgt een klaplong onder pakijs, drie grillige meter dik, met kammen en kielen, door krimpen en kraken ontstaan deuken en richels, waarop een ijsbeer langzaam waggelt om niet oververhit te raken en vlokreeft en roeipootkreeft bezitten antivrieseiwitten. **20** Ze zetten voor 's winters algen om in vet, voor een walvis uit de baai van Mexico zijn ze delicatessen en evengoed komt een beloega even boven water als een ijsschots en duikt weer zonder te zien hoe de snoet van een baardrob rood kleurt van het wroeten naar voedsel in ijzererts, loeiend, als kamelen die loeien vanuit de woestijn, trots en stadig sleepstappen, kronkelt een hagedis zich rond de klok van een peer, komen speelgoedkikkers uit het ijs los, het zijn spookachtige markeringen die witte kroonbladeren en vlindervleugels onder een ultravioletdetector vertonen tussen huizen van golfplaat en karton onder een hete zon op een heuvel van tijm, een geur van angst voor het rijm, een murex bengelt met zijn tong aan een aan een touwtje gebonden kokkel. **21** Tienduizenden van die murexen zijn verwerkt in één purperen toga in een vissersdorp van raamloze hutten en lemen vloeren dat zich tussen granieten pilaren nestelt onder een stofwolk met sediment uit de Sahara, tot op een dag van vallende sneeuw, natte sneeuw, sneeuw op de grond, ingeklonken sneeuw zo hard als ijs, door wind verstoven sneeuw, vliegende sneeuw, enzovoort, het slijk aan de oevers van een zoutmeer zwart riekt en een neushoorn ontvriest naast een mammoet met slagtanden, een slurf en een bolhoed op de kop, een kreng verrot en vocht met tanden parelend wit, opdat het ritueel geldig is moet een vaarskalf gewillig naar het slachtaltaar, tuimelt een olifant in een sluis en tuimelen vervolgens de jeugdigste zeegolven speels over breeddeinende pleinen, werpen ongebluste kalk op akkers, soms tot aan de achterdeur van huizen, en ook sardines lusten kalk, maar nu zijn er gelukkig irrigatiesystemen, waardoor de stand van het grondwater daalt en zijn zoutgehalte stijgt, nu zijn er gelukkig stuwdammen, waardoor vruchtbaarheid daalt en de kans op tyfus stijgt, gierstzaden sluimeren in een ondergronds bos, katoenvelden slorpen aan een meer als aan een infuus. **22** Plaatselijk water besproeit die katoenplanten en aangevoerd water spoelt het zout eraf, verdampt en in een open veld hagelt het als bio-appels zo groot eenden dood en struisvogels blind, in een oorlogsgebied zwemt een school hamerhaaien, drijft een kluit barracuda's zijn prooi naar het wateroppervlak, zet een zeilvis zijn rugstekel op en likt een gele pincetvis aan koraal, in een door oorlog onderbevist gebied zwemt zelfs een zijdehaai, een voet in het rond kleurt het water purperrood, verkleurt een inktvis. **23** Hij vliegt in een inktwolk uit zijn hol, achter een dikke wolk houara's schuilt de zon, stipt elke dag om acht uur begint hun kaalslag, aast een ijsvogel op sprinkhaan net buiten een dorp waar acacia's hun stam in een rechte hoek met de passaatwinden zetten, onder elke boom ruikt een leeuw symbolen, hoog boven elke boom komt een vale gier tegen het venster van een burgervliegtuig te kleven en ergens daartussen wenst blauw een plek buiten het normale leven, overzee, over de horizon, waar een oesterbar is leeggeschept, een hittebestendige alg niet verbleekt, niet afsterft, in de buurt van ravijnen die ooit straten waren, steken witte rotsen met blauwe glinstervlekken uit een bedding en in een zwartgeblakerde schacht hangt een vergeten geur van verbrande stekelbrem, een halve kilometer lang huppelen schapenspekbillen voor een vrachtwagen met pelgarnalen uit, op een weg die loopt door bloeiende kersenboomgaarden en kapotgeschoten huizen, op de breuk tussen landplaten, in een gootje dat aan de snelheid van een vingernagel groeit, vloeit een oceaan, deze deinende moskee, maken vele lijkjes, opgespeld en gerangschikt op uitzicht, een museum. **24** Uitvergroot draagt zelfs de mooiste vlinder er een duivels masker, vier eindjes vislijn en een onderlijn met de wartel er nog aan hangen aan de lippen van een tandkarper, als medailles met gerafelde lintjes, met kippenveren, dun als papieren zakdoeken en besmeurd met teer, snavel dicht, poten tegen de buik, klauwen tot een vuist, wordt een havik hoog in sneeuwwolken opgetild door noordwestenwind, met de zoete geur van een grasbaal op de rug van een kameel, met een rookwolk van uitgekookte printplaten waaronder lood zich van goud, kwik van zilver, cadmium van palladium scheidt, zeepuppy's van hun ouders scheidt, door smeltijs voor ze leren zwemmen, door een vlijm voor ze buiten bewustzijn zijn. **25** Zeehondenvlees laat zich savoureren met port en plakjes bacon en een schildpad met gezwellen, netten

46

liggen weg te rotten op een oever, bang voor vergiftigde forellen, uit de as van afgebrande bessenstruiken verrijzen bessenstruiken, reizen zilverreigers en een roodstaartbuizerd naar een stadspark waar een zwarte pup als een vraagteken in een mandje ligt te slapen. **26** Hij droomt ervan eekhoorns te verjagen, pas gepote plantjes uit te graven, menstruerende vrouwen te besnuffelen in het land waar men eerst riolen en slachthuizen zuiverde en daarna water voorzag, heet, met een snufje saffraan en honing elke ochtend, één ochtend bloeit een krokus en dicht dan weer, wrak vee zakt ineen, wie gunt het rust en water, wie past zich zo goed aan de omstandigheden aan als de bio-industriekip, die in negenendertig dagen meer spieren en vet ontwikkelt dan botstelsel om die te torsen, rugwervels verwrongen, onderpoten verdraaid, bloedarmoede en blindheid, met per jaar tweehonderd miljoen slachtkuikens die overleven op vitamine A en D, sulfa en antibiotica, kuikens worden per post opgestuurd. **27** Maar de haantjes, de helft van alle legkuikens die ter wereld komen, worden in een buizenstelsel naar een elektrocuteerplaat gezogen, naar een hakselaar of naar containers waar zwakkeren vertrapt zijn en sterkeren stikken, bloot zijn en opnieuw beginnen is winstgevender dan kippen blijven huisvesten en voeden als ze hun quota aan eieren niet meer halen, propt een hand ze per vijf in kratten, breken doen de botten, tot in de winkel druppelt pus uit een kip, zit onder poepvlekken een tumor of een huidaandoening – hun lichaamsbouw is voorbestemd voor pijn – een vis die niet beweegt verdrinkt – een dode zone – een auto, bedekt met zebramosselen, hangt aan een takel boven een meer, een verlangen naar stoelen, tafels, papier, hars, kruiden, mineralen en fruitkisten laat een bos verzaagd achter, terwijl een koe het goede in de wereld symboliseert en ergens vanuit de schaduw van een wieldop of een motorkap een geitje mekkert, produceert in de schaduw van een middelgrote stad een boerenbedrijf ammoniak, methaan, koolmonoxide, zwavelwaterstof, nitraten, cyanide, fosfor en zware metalen, naast streptokok, salmonella, cryptosporidium, giardia en nog wat pathogenen. **28** We noemen dit stront, maar ook kots, bloed, een foetus, urine, haren, pus, scherven, naalden, drijfmest worden over land uitgespoten in een geiser van gassen die bloedneuzen, oorpijn, diarree en branderige longen kunnen, let wel: *kunnen* veroorzaken, net zoals enkele emmers met nijlbaarzen in het Victoriameer winst *kunnen* veroorzaken, of uitputting van meer en bos.

47   **29** In een meer in de buurt dobbert een flamingo met een maag vol industrieelafvalwater van tulpen- en tomatenserres, want iedereen weet: een koe geeft meer melk dan een vrouw, sterft aan tekenkoorts vlak voor een moessonstorm met druppels die kuiltjes zo groot als knikkers maken, waarvan een baobab nog urenlang nadrupt, iedereen mag het weten: een laatste sinaasappel hangt

aan een sinaasappelboom voor een nog ongekende gast, een eerste mango aan een mangoboom met de nog ongezoete smaak van dood, veertien minuten en tien seconden spartelt een tonijn op ijs, zonder dat een drachtige zeug er ethische superioriteitsgevoelens bij krijgt met een ijzeren staaf in het rectum geramd, met open zweren op kop en rug, met haar poten door een rooster geduwd droomt ze van een nest van gras, bladeren en stro, zonder dat een kip er met haar verstand bij kan dat ze tabak in de ogen gespuwd krijgt en verfspray in de veren net voor de laatste ruk aan haar kop, maar een muis overwintert binnenshuis bij een oude poes die gekruld om een tafelpoot ligt te slapen tot ze achter in de tuin mag worden begraven bij kanarie, schildpad en maanvissen, onder elke korzel aarde legt grondig onderzoek tekenen van veranderingen bloot, zo was het en zo zal het zijn dat op zee een albatros vliegt alsof storm zijn eigenlijke element is, dat op zee een stormvogel vliegt alsof storm haar eigenlijke element is, alleen een schip voelt zich het voorwerp van woede, of een koe, elektrische stokken in de snuit. **30** Haar luchtpijp en slokdarm worden uit de doorgesneden keel gesnokt, dierlijk eiwit is goedkoper dan ooit eerder in de geschiedenis, een slang verstijft, oog in oog met een kalebasfluit, in de nabijheid van Fernando De Noronha licht de zee alsof het weerlicht, alsof ze ademhaalt, de dik-draderige, bleke katwilgvachtjes van drie spotlijsters schrikken op van een lapjeskat, in een zwakte van het rif zwemmen scholen zeegoudvissen, schichtige sabeltandslijmvissen en tweebandanemoonvissen, waar land en water raken wervelt leven, een tafelkoraal is gastheer voor een regenwoud. **31** Met chemische en biologische wapens bevecht het een plek in de zon, niemand domineert en het gaat om waar je bent, bijvoorbeeld in de nacht, dan ontrafelen poliepen hun tentakels en haarsterren en happen, dwarrelwinden blazen aan tot een tornado en na vuurwerk vallen duizenden merels uit de lucht, bijvoorbeeld in het blauwe uur, dan legt een klapperdief eitjes in zee en komt terug aan land, gedraagt een doejong in een visnet zich als een zeemeermin, een tropische regen drukt de zee terneer, bijvoorbeeld in een abattoir zwaait een varken rond, beukt tegen een muur en duikelt neer, bijvoorbeeld in een abattoir hangen opgezet aan een muur twee hertenkoppen, een holstein, een ram en een vijftal vissen, bijvoorbeeld uit een abattoir ontsnapt een koe. **32** Ze steekt wegen over, loopt hekken omver, komt kilometers verder bij de oever van een meer, laat zich niet afschrikken maar springt en zwemt naar de overkant en wordt er neergeschoten en een varken doet niets liever dan rondwroeten, rennen, spelen, in de zon liggen, zweten uit de snuit en in de modder rollen om af te koelen, waar het bio-industrieras van een constante staltemperatuur geniet, van angst lijkt geen sprake en er wordt niet gejankt of bij elkaar gekropen als een varken op zijn zij ligt te trillen bij een hartaanval – zijn lichaamsbouw is voorbestemd voor pijn – een gans vliegt over de Mount Everest, kruipplanten en schimmels verteren een voormalig paleis en twee met roze vingerverf beschilderde ossen trekken een kar, een zeepaardje laat als vermomming kleine organismen op zijn knobbels groeien. 33 Alleen zijn kieuwen verraden hem, alleen de vin van een walvishaai komt net boven de golven, net eronder zijn mond vol krill, zijn huid grillig, zijn bewegingen traag majestueus tussen vissen die kleven aan zijn vel, die zwemmen voor zijn ogen, culturen ontmoeten elkaar de hele tijd, in het midden van een eiland een graf, een gedenkteken, een piramide, een begraafplaats, een monument, een catacombe, een sarcofaag, een minaret, een mausoleum, aasvretende kevers, ze stoppen rundermest in grote ballen onder de grond, een paard draagt een vampierenbeet in zijn schoft, een donkerzwart gat dat staart en zuigt, een hert dat een hooiland met maaier ruikt en rent, een schorpioenvis die uit een aquarium ontsnapt, vormt op zijn eentje een meerderheid. 34 Hij heeft de zaagbaarzen en papegaaivissen uitgedund en het gif uit zijn stekels drijft vissers tot zelfmoord, nadat ze in een kilometers lang warrelnet een tijgerhaai met een chip in de rugvin vangen, een jonge citroenhaai in coma brengen door haar op haar rug te draaien, de stroming is op haar sterkst, een koe tilt haar kop hoog op, het bloed van een ongeboren kalf is gegeerd voor kankeronderzoek. 35 Die koe die nu karkas heet, die na een afgeschampt kopschot gevild is en verdeeld, geur van bloed maakt agressief, fladdert een kalkoen in een boom of op het dak, heeft nog al zijn nagels en banjert vrolijk gakkend door de sneeuw, eet insecten in plaats van vlees, zaagsel of bijproducten van leerlooierijen terwijl na twaalf dagen spenen een biggetje van melk op gedroogd bloedplasma uit slachthuizen mag overstappen, op een pad met mahoniebomen richting jungle, of langs overgroeide, afgesloten palmkassen en een meer als geslepen blauw kristal met zeven waterlelies als groene taartvormen, naar een staatsietrap met kapotte treden en onkruid, met grote gele kiezen vermaalt een ezel het droge gras dat overblijft van veel voorjaar en balkt, zijn aandeel in de schoonheid van de wereld, een steen als een kikkerrug lost gemalen in water op, kraaien op het veld, bezinningsloos. 36 Hoor ze krassen, krijsen, wild vechten, in het kielzog van vissersboten glanzen olieslierten en teerklonters spoelen aan met binnenin een garnaal, terwijl drie meter hoge rekken maïskolven drogen in de zon, zo zijn de elementen van een landschap, in een hopeloos verlangen naar een algemene indruk, want wie kan een plant in een herbarium projecteren op haar inheemse grond en wie kan een broeikas tot de afmeting van woudbomen en de compliciteit van een jungle vergroten, wie hoort bij een verzameling vlinders en cicaden de schrille muziek der laatsten en de trage vlucht der eersten,

bijvoeglijk naamwoord na bijvoeglijk naamwoord is opgezocht en te zwak bevonden om hen die de tropische streken niet bezochten de verrukking over te
brengen die de geest er ondervindt, of om hun die de oceanen niet bezochten
de ontluistering over te brengen dat bij de tonijnvangst zonder enige nood-
zaak onder andere worden gedood: mantarog   duivelsrog gevlekte rog
rootneushaai koperhaai   galapagoshaai   grootvinhaai nachthaai   zandtijgerhaai
nsenhaai hamerhaai doornhaai   Cubaanse doornhaai   grootoogvoshaai   makreelhaai
  grote blauwe haai   wahoo   zeilvis   bonito
                         koningsmakreel   Spaanse makreel
 speervis   witte marlijn   zwaardvis
                     lancetvis   grijze trekkervis
          naaldvis   braam   blauwe horsmakreel   zwartvis
langstaartvis   kwallenvis   egelvis   regenboogstekelmakreel   ansjovis
ara   vliegende vis   kabeljauw   zeepaardje   bermuda-kopvoorn
    koningsvis   botermakreel   leervis   driestaartbaars   zeeduivel
ompvis   murene loodsmannetje   slangmakreel wrakbaars blauwbaars
 senegalbaars   rode ombervis   grote geelstaart
 zeebrasem   barracuda   kogelvis   onechte karetschildpa
  groene zeeschildpad   lederschildpad
    karetschildpad   Kemps zeeschildpad   geelbekalbatros
Jouins meeuw vale pijlstormvogel wenkbrauwalbatros grote mantelmeeuw grote pijlstormvoge
 langvleugelstormvogel   bruine stormvogel
vermeeuw lachmeeuw   noordelijke koningsalbatros witkapalbatros   grauwe pijlstormvogel
    grijze stormvogel Yelkouanpijlstormvogel
geelpootmeeuw   dwergvinvis   Noordse vinvis
    gewone vinvis   dolfijn
 noordkaper   griend   bultrug   spitssnuitdolfijn   zwaardwalvis
oruinvis   potvis   gestreepte dolfijn   Atlantische gevlekte dolfijn spinnerdolfijn
 tuimelaar   en   dolfijn van Cuvier, langzaam vult water de sporen van verdwenen voeten, doorboren letterzetters de schors van een pijnboom. **37** Door
aanhoudende droogte kunnen ze alle pijnen in één keer verorberen zonder
iets voor hun nakomelingen achter te laten, gekras, getsjirp, geklik en gerof-
fel, hoe kermend, kermend krijten gibbons 's nachts, keten achter keten zingt
mee, een boom geeft zelfs beschutting aan wie hem omhakt, maar nu is het
land uitgeput, niet één druppel regenwater mag nog de oceaan invloeien zonder nuttig te zijn gemaakt en een losgekomen graszode drijft als een mat rond
een waterlelie, tussen hek en vijverrand schrijdt een kraanvogel. **38** Hij kromt
zijn ranke nek, heel in de verte ligt een kuteiland met kutpalmen waaraan
kokosnoten hangen die kut ruiken en de kutapen op dat eiland eten die

50

kutruikende kokosnoten en de kutstront die ze daarvan schijten vormt kut-
aarde, zodat de opgroeiende kutpalmen nog kutter worden, bijna zo kut als
de twee zwartpuntrifhaai-jongens die met opengescheurde bek en afgesne-
den vinnen in een houten sloep liggen, al haalt haaienvinnensoep zijn smaak
uit kippenbouillon en een reuzenmantarog filtert zijn eten met zijn hoorns. **39**
Hij draagt haaienbeten in zijn blinde vlek, maar het poetslipvisje en de gele
vlindervis reinigen ook beetwonden en hij geniet ervan, een gebrul weer-
klinkt en een luipaard schiet van tussen twee rugzaktoeristen in de bedding
van een uitgedroogde rivier, laat een half opgevreten, verschrikkelijk stinkend impalakarkas achter in de struiken, geuren blijven het langste bij, langer
dan de smaak van wateren en het trieste gezang van vogels en een visser die
vist en een boer die boert en ondertussen wordt die reserve aan minerale
bronnen, voedsel- en waterhulpbronnen, dat asiel van verscheidenheid ver-
brand voor transportwegen, waterkrachtcentrales en plantages, neem de
brazilboom. **40** Zo goed als verdwenen, een remedie voor een kanker, voor
koortsige hersens, duizenden zomervlinders bedekken met hun gouden glans
een nederzetting, in een kilometers diep woud dat alleen nog op de meest
recente kaart bestaat, drijven modder- en steenstromen de ontboste hellin-
gen af, neemt rivierwater land in en huizen en parken verzakken, steekt
jaarlijks negen miljoen ton zout in de buik van een rivier een landsgrens over,
naar waar planten kwaadaardig, zwaar en scherp zijn, komt een kakkerlak uit
de douche gekropen en kijkt alsof men iets van hem aan heeft, voor hij geplet
alle hoeken van de badkamer inneemt en een kuiken zich naar het midden van
de warmtelamp probeert te wringen, de snavelpunt is zwart, de tenen zijn
zwart. **41** Ze stapt over een misvormd kuikentje met bloedvlekken en zweren,
dood, en terwijl algen bloeien, hapt een zeekoe naar adem en schokschoudert
een zeeleeuw met een doodgeboren welp tussen haar poten – een dode zone
– een walvis steekt zijn penis onbeholpen in het zand terwijl zijn blauwgroene
huid loslaat, zijn bek een gapend gat – een dode zone – een gems rept zich
naar de allerkleinste klip en een jachtluipaard, duikboot van deinend gras,
sluipt geruisloos naar zijn prooi – een dode zone – een potvis slaat zijn staart-
vin uit het water en duikt, wat een attractie, wat een infotainment, wat een
laatste show voor de toeristen die hem besmetten met tbc en longontsteking
– een dode zone – ingevroren haaienkarkassen verbergen een ton cocaïne en
een babymuis gilt een eerste keer wanneer ze gepakt wordt tussen de chop-
sticks, een tweede keer bij het dippen in chilisaus en een derde keer bij de hap
– een dode zone – een bougainville staat vol roze bloesems die flakkeren op
het ritme van hun kleur, pangasius haalt met zijn unieke zwemblaas zuurstof
uit de lucht, zelfs in de meest vervuilde rivierdelta ter wereld, en tilapia staat

erom bekend zes keer meer uitwerpselen te kunnen eten dan hij produceert, een carrancha pikt wondkorsten van de rug van een muilezel, een vleugel van een toekan breekt zomaar af. **42** Hij ploft neer tussen mieren en vodden, rupsen en spinnen, verlamd door een angel, worden levend leeggezogen door larven ergens in een plantentuin waar het naar kamfer, peper, kaneel en kruidnagel geurt en de broodboom, de jaca en de mango wedijveren met hun prachtige lover, kool- en slabladeren groeien onaangeroerd door slakken, een haan slaat vleugels uit hoewel zijn poten op de familiekast rusten, net zoals een vissersschuit nu een rif is waaromheen doornroggen en kappersvissen zwemmen en waar hamerhaaien snel afgeschrikt of gewoon onvindbaar zijn en een humboldt-pijlinktvis flitst rood op tijdens een groepsjacht op lokaas. **43** Zijn zuignappen hebben weerhaken en zijn huid staat vol met littekens en beten, zoals bij kippen in legbatterijen ter grootte van een A4-blad achttien verdiepingen hoog opgestapeld in loodsen zonder ramen, omheen het stenen beeld van een klapwiekende vogel en een onwaarschijnlijk rood bloeiende azalea schiet onkruid, en vooral guldenroede. **44** Deze tuin zou vol moeten zitten met katten en toch valt geen kat te bekennen, enkel een tamagotchi in het gras, een opblaasbare neushoornkever en twee vliegende herten verstrengeld, terwijl een makaak met haar staart wrijft over de clitoris van een makaak, klimt een spookkrab op een voet, belikt een witte matroosvlinder met zijn roltong de opgestoken kont van een kortschildkever, een albatros droomt boven de storm, door sterren aangestaard, een illusie waarin zich indianen aftekenen die schreeuwen omdat water privé wordt, maandenlang, met het geduld van een bamboetuitje in een diepe snee in de stam van een garcinia dat op de eerste druppels guttegom wacht, sporen bijen explosieven op en waar mangrovewouden zijn geveld, krijgt een tsunami vrij spel — een dode zone — greppels voorkomen overstromingen en herbergen eetbaar zeewier, duizend tachtig aardappelsoorten en achthonderd maïsvariëteiten, coca en peyote zijn heilige stoffen, maar door het verzilten van meeroevers beginnen vitaminerijke plantensoorten als riet, janchallaya en oquroro, vissen als qarachi en suche, vogels als chuqa, achachito, tikitiki of qiwlla uit te sterven, uitgestrekte woestijngebieden en het beste idee tegen de opwarming van de aarde is het witschilderen van bergtoppen, terwijl beneden een opwaartse koudestroom stilvalt, de uit rottende vis- en vogelkrengen vrijkomende delen waterstofsulfide bij mist als een soort roest op schepen, huizen en auto's neerslaan, pikt enerzijds een diksnavelige vink aan een cactusarm terwijl een leguaan de stam opvreet, duikt anderzijds een schildpad tot over zijn ogen in het water en drinkt, drinkt gulzig, slempt zich een noodrantsoen in zijn blaas. **45** Hij lijkt doof maar stoot een rauw gebrul uit bij zijn wijfje, dat later de eitjes met zand toedekt of in rotsgaten dropt, op een eiland waar tuinkoningen, vliegenvangers en aashaviken zonder omkijken op armen en emmers neerstrijken, zijn ze met een takje, een hoed of de loop van een geweer zo neergeklopt, brandt dertig ton ijskomeet zo op in de atmosfeer, zo spuugt een berg gloeiende keien en zegt neen, zegt dat we niet land maar de verantwoordelijkheid over land verkopen, maar in de plaats van hoge, fiere komen kleine, snelgroeiende bomen en na het rooien spoelt het land weg, slibt een rivier dicht, schuiven steenmassa's uit bossen weg en omsluiten miezerige hutjes. **46** Hun waakhonden bijten op wie niet snel genoeg weg is, want er is ook een overstromingswoud hier en een zeevisreservaat daar, hier en daar groeit een gele vlecht uit de beenderen van een dode muilezel, een rijstproject zuigt het witzand bloot onder een moeras en tegelijk haken de ademwortels van een mangrove in zand en modder, vlucht een orang-oetang met schokkerige omhalen, nadat een ontbladerde raminboom kapseist onder een kettingzaag die een palmolieplantage voor biobrandstof aanlegt, een bijna-vloeibare rots wringt zich naar boven en barst, een stroper snijdt de schaal van een schildpad af. **47** Het dier vlucht de zee in met een schaal die te dun teruggroeit om van nut te zijn, peddelt naar een grote vlakte met schitterend wit zand, eromheen kokosbomen en daaronder een kokoskrab die de buitenhuid van een kokosnoot draad na draad afpelt, met zijn klauwen op de kiemgaten inslaat, een naakte man op een naakt paard, bliksem slaat in op een kerk die als kruitmagazijn dienstdoet, bliksem tovert, tovert zand om tot verglaasde kiezelbuizen van wel tien meter diep, ernaast een boom met gladgewreven bast en diepe, meterslange voren van jaguarklauwen, een vijftigtal muskieten op een hand, een duizendtal dorstige runderen die zich over een steile, slijkerige oever stort om te drinken en verdrinken, net zoals de eerste wilde paarden door de volgende een moeras in worden gedrongen en een rivierarm onbevaarbaar is door de geur van rottende dierenlijken, een bevochtigde boonhelft op elke slaap, tsjirpend zand onder de hoeven van een paard, een verkiezelde boomstam, een stofwolk boven de oceaan. **48** Voor een kilo garnalen is tweeënvijftig kilo andere zeedieren dood weer in zee gegooid, een wandluis, zacht en vleugelloos, zuigt zich in tien minuten van vlak naar bol, de wonde veroorzaakt geen pijn, gebaart een poema voor hij op de schouders van een koe springt, met zijn klauwen de hals naar achteren rekt en de wervelkolom breekt, op een ochtend met dauw op de bladeren van een schijfcactus. **49** Wanneer een blad afvalt, worden stekels wortels, tenminste als cochenilleluizen het niet eerst opeten, wier luizenbloed aan wangen, lippen en fabrieksham hangt, wat hangt aan de lippen van drie monniksrobben die per ongeluk het vrouwtje doden waar ze om vechten, rook noch hoogovens noch stoommachines verstoren de rust van de omringende bergen, maar hoe verheven de donkere, half in wolken gehulde bergen ook zijn, het is de lichte, blauwe lucht van een schone dag die met blijdschap en geluk vervult, kijk naar een muilezel, een bastaard toch. **50** Hij bezit meer verstand, geheugen, halsstarrigheid, sociale neigingen en uithoudingsvermogen dan een van zijn ouderlijke vormen, kunst overtreft hier natuur, enkele uren voor een condor sterft, kruipen zijn luizen op de buitenste veren, aan de oppervlakte drijft een afvalberg ter grootte van Texas bestaande uit zakken, blikken, emmers, slippers, barbiepopjes, netten, dopjes, yoghurtpotjes en aanstekers, maar evengoed steken honderden merriehoofden met gespitste oren en snuivende neuzen boven rivierwater uit, het sneeuwt vlinders, een struisvogel sist vervaarlijk vanaf zijn eieren en een hond probeert een opgerold gordeldier in de bek te pakken, duwt de bol voor zich uit over grote open vlaktes zonder een struikje, cactus of vlecht, maar in de grond sluimeren de zaden, wachtend op een eerste regenachtige winterdag, en ondertussen sleept een viscacha stenen, runderbeenderen, distelstengels, een horloge, droge mest en een tabakspijp naar de ingang van haar nest, rolt een kudde koeien in zee en tingelen door bamboepijpen druppels van rijstterras naar rijstterras. **51** Ze vormen het geluid van een land, van eiland naar eiland zwemt een wilde lama op zoek naar een holte in het stof om er de middag in door te brengen, en het gebeurt dat een muis in een val trapt en een andere muis hem opvreet, dat een enkele seconde de aarde beweegt als een dunne korst op een vloeistof, een vreemdsoortige onzekerheid die uren nadenken niet kunnen voortbrengen, dat balken knarsen en rammelen, dat de luchtspiegel trilt boven een troosteloze vlakte en dat zeeschuim de regenboogcirkel sluit, terwijl een kolonie robben vast ingeslapen en verschrikkelijk stinkend tegen elkaar aan gevlijd ligt, ziet een koningsalbatros in volle zee zilverschubben glinsteren. **52** Zij duikt ernaar, komt boven met haar kop verstrikt en wordt net onder het zeeoppervlak meegesleurd door een twintig kilometer lang nylondradenvisnet, in een twintig kilometer lange tuin worden pijnbomen en wilde pandanusbomen omgespit, in een okergroeve vindt men pituri, wat smaakt naar stront en werkt als tien koppen koffie, en aan zee legt een lettersierschildpad eieren op de plaats waar ze zelf veertig jaar geleden uit haar ei kroop en waar op een bank oude mosselschelpen wilde selderij en lepelkruid groeien, een blindengeleidehond een otter vangt, veel regen veel sneeuw veel wind, het drijvende aas van een walvis, een beuk, tot op het merg vermolmd, op het punt te vallen, met een bolvormige, lichtgele paddenstoel op de stam, vliegen op een netjes doorgezaagde buffelhoorn, van een gletsjer drijven brokstukken weg. **53** Ze toveren een kanaal om tot miniatuurpoolzee, waar babystormvogeltjes kwetteren om de plastic glinsters die vader hun te eten geeft en ingevoerde schapen toveren een eiland om in een mesthoop, waarop avocado, ananas, cassave, koffie, aardappel en maïs gedijen en er is wit koraal als souvenir, er is een deel van een dode geest in een boom veranderd, het andere deel zoemt als een mug op zoek naar een meisje dat hem wellicht nodig heeft, een rookgordijn houdt vliegen af, een meute dingo's jankt naar overgebleven kruimels van een laatste maal en gelukkig slaat op een iharangstruik nooit de bliksem in, al ruikt het er naar rotte, opengebarsten schildpadeieren, dan nog stoppen witte boslelies bloedingen, vallen honderden levende en dode witte baarsjes uit de lucht en groeit op een stapel keien als eerste een kokospalm. **54** Daarna komen yamswortel, taro, zoete aardappel en banaan, draagt een haai namen van voorouders, zoals een opgedroogde beekbedding eruitziet als een kleurendoos van door dinosauriërs uitgespuugde kauwgumballen, een ondiep meer te midden van uitgedroogd land, een roestige schommel boven op het frame, alleen een tattoo van een palmboom slingert zich rondom een romp en al naargelang het eiland zijn het mazelen of roodvonk of huidziekten die verwoesten, of zwemt er een octopus rond met een mond vol eieren op zoek naar een voedselrijke rotsbodem om te paaien. **55** Maar ze is vastgelopen in een landtong bij volle maan en is gestopt met eten, uit de bek ontsnappen bellen, uit de pels van een rob ontsnappen bellen, wanneer hij duikt, schrikt een zeedraakje op, gecamoufleerd als kelp, en schrikt van zee-egels die rotsen bedekken en een kelpwoud tot een schraal algenvoetmatje herleiden, in water dat bloedrood kleurt van looizuur uit omliggend veen, waar een medusaster aan een zeewaaier op plankton hangt te wachten, een doorzichtig haaienei aan een zeewaaier hangt en gechipte kreeften uitrukken om die zee-egels te bestrijden, niet om de soort maar om het systeem, draait een zeeveer mee met de stroom, deze commune van diertjes die water pompen, voortplanten of prooien vangen, een gestrande griend uit zijn lijden verlossen, prei is ooit als gunstbewijs door een Frans schip ingevoerd, zuring werd ooit door Engelsen als zaden van de tabaksplant verkocht — een dode zone.

neen Een toestel van de Franse
luchtvaartmaatschappij Air France is maandag met 228
mensen aan boord voor de
Braziliaanse kust van
de radar verdwenen. De verdwijning van een Airbus

A330 van de Franse luchtvaartmaatschappij
Air France met 228 mensen
aan boord
behoort tot de zwaarste ongevallen in

de geschiedenis
van de luchtvaart. Twee Belgen zaten op het
vliegtuig van Air
France dat maandag is verdwenen
tijdens een vlucht
van Rio de Janeiro naar
Parijs. De VS hebben maandag een militair observatietoestel en
een reddingsteam ingezet

om deel te nemen aan de zoektocht
naar de Airbus A330 van
Air France die maandag met 228 mensen
aan boord boven de Atlantische Oceaan is verdwenen. De
wrakstukken die een Braziliaanse luchtmachtpiloot op

zee heeft ontdekt, behoren zeker toe aan het Air France-toestel dat
zondagnacht boven
de Atlantische Oceaan verdween. Hoewel ieder vliegtuig gemiddeld
56 wel één keer per
jaar door de bliksem wordt getroffen,

is vliegen veiliger
dan iedereen denkt.

Het is 'zeer
zeldzaam' dat een verkeersvliegtuig boven de

Atlantische Oceaan verdwijnt, zegt luchtvaartdeskundige Benno
Baksteen. Nicolas Sarkozy
zei op de luchthaven Charles de Gaulle
dat er vrijwel geen hoop meer was op overlevenden

onder
de 216 passagiers en 12 bemanningsleden van de Airbus die boven
de Atlantische Oceaan verdween. Onder de
passagiers van het verdwenen vliegtuig bevonden zich twee
Belgen en een Nederlander. Belgisch
minister van Buitenlandse Zaken Karel De Gucht
heeft bij zijn
Franse collega Bernard Kouchner zijn medeleven betuigd over
het tragische ongeval van een Airbus van Air
France die
tussen Rio de Janeiro
en Parijs vloog. Een van de twee Belgen aan boord
van het vermiste

toestel van Air France is de
Belgisch-Braziliaanse prins Pedro Luiz de Orleans e Bragança (26). Een van
de slachtoffers van de verongelukte Airbus van Air France is
een 60-jarige leraar uit Seraing, Rino Zandonai. 'Eigenlijk hebben we
    helemaal
niets!' riep een topman van Air
France gisteren moedeloos. Een dag
nadat een Airbus met 228 inzittenden boven de Atlantische Oceaan is
verdwenen, werd

gisteren voortgezocht naar het wrak en de slachtoffers.
Na de vondst van
brokstukken van het gecrashte toestel van
Air France heeft
de Braziliaanse regering drie
dagen van nationale rouw afgekondigd. Zelfs als blijkt dat de
gevonden wrakstukken behoren tot de Airbus van Air France, dan maakt

dat de kans
om nog overlevenden te vinden, er niet groter
op. Frankrijk heeft
woensdag bevestigd dat de brokstukken die ten noorden van
Fernando de Noronha zijn aangetroffen

toebehoren aan
de Airbus van Air France die maandag
boven de Atlantische Oceaan verongelukte. De Airbus van
Air France die maandag neerstortte in de
Atlantische Oceaan meldde kort voor

de crash een
reeks technische problemen aan de luchtverkeersleiding. Enkele dagen voor
de fatale crash van
de Airbus van Air France in de Atlantische
Oceaan, rolde een melding binnen

over een bom aan boord van
een toestel van de luchtvaartmaatschappij. Een oliespoor van
20 kilometer in de oceaan. Een piloot van de Spaanse luchtvaartmaatschappij
Air Comet, die de route tussen Lima
en Madrid aandoet, zag een witte
flits in het gebied waar het vliegtuig van Air France van
de kaart verdween. De Franse luchtvaartautoriteiten vrezen dat ze de zwarte
dozen van de verongelukte Airbus van Air
France nooit zullen vinden, zelfs niet
met minionderzeeërs. Air
France heeft zijn piloten

vrijdag meegedeeld dat bij alle Airbus-vliegtuigen voor de
lange en middellange afstand de sensoren die
de luchtsnelheid meten worden vervangen.
Het blijft onduidelijk waarom de Airbus
van Air France is gecrasht. De wrakstukken die
donderdag door de Braziliaanse marine zijn
opgevist, zijn

niet afkomstig van

de neergestorte Airbus van Air France. Michelin, het
legendarische Franse familiebedrijf dat enkele dagen
geleden zijn 120ste verjaardag vierde,
is in rouw. De wrakstukken

die Braziliaanse schepen midden in de Atlantische Oceaan
gevonden
hebben, behoren toch niet tot de Airbus van Air
France die

zondagnacht verdween. De
Airbus A330 van Air France die in de nacht van zondag
op maandag neerstortte in de Atlantische Oceaan,

heeft voor de crash
in minder dan vijf minuten tijd 24 foutmeldingen
gestuurd. De Braziliaanse luchtmacht heeft in
de Atlantische Oceaan de eerste lijken gevonden
van passagiers van de Airbus die
maandag is neer gestort. De

Braziliaanse marine heeft in de Atlantische Oceaan de lichamen
geborgen van zes inzittenden van het Air France-toestel dat daar maandag
is neergestort. Het onderzoek naar de crash van vlucht Air
France 447 spitst zich toe op snelheidsmeters. Op de

Atlantische Oceaan zijn tot dusverre de stoffelijke resten van
zeventien mensen
geborgen van wie wordt aangenomen dat ze in de verongelukte
Airbus zaten. Een week na het neerstorten van een Airbus
van Air France in de Atlantische Oceaan worden
er steeds meer lichamen en brokstukken teruggevonden. Ruim een week na
de crash van vlucht AF447 van Air France, worden
steeds meer lichamen

59 en brokstukken van
het vliegtuig teruggevonden. De Braziliaanse

marine heeft nog vier
dodelijke slachtoffers van de verongelukte Airbus van Air France

uit de Atlantische Oceaan geborgen. Een pilotenvakbond

die een deel van het Air France-personeel vertegenwoordigt, heeft
de piloten van Airbus aangemaand niet meer te

vliegen met de toestellen die
nog gebruikmaken van de snelheidsmeters zoals die in
de Airbus A330-200 die in de Atlantische Oceaan is gecrasht.
Het
Braziliaanse en het Franse leger visten tot nu toe
24 lichamen op van het ongeval
met de Airbus van Air France. Brussels Airlines
heeft bij twee
van zijn Airbus A330-toestellen al nieuwe

snelheidsmeters geplaatst, lang voor de crash van
dat type passagiersvliegtuig vorige
week. Agenten van de Franse geheime
dienst hebben op de passagierslijst van
de verongelukte Airbus twee verdachte
namen gevonden. Een Franse kernonderzeeër zoekt
vanaf woensdag in de Atlantische Oceaan naar de zwarte
dozen van de verongelukte Airbus van Air
France. De Braziliaanse marine heeft
dinsdag nog eens 17 slachtoffers van
de verongelukte Airbus van Air

France uit de Atlantische Oceaan
geborgen. Een Airbus van de Australische luchtvaartmaatschappij Jetstar
Airways die op weg was van Japan naar Australië, heeft
een noodlanding gemaakt in Guam nadat er vuur was
uitgebroken
in de cockpit van het toestel.

60   Twee
Nederlandse sleepboten helpen bij de speurtocht
naar de
zwarte dozen van het vliegtuig van
Air France dat op

31 mei in de Atlantische Oceaan stortte. De
zoektocht naar lichamen van slachtoffers van de
verongelukte Airbus van Air France zal nog
minstens tot 19 juni verdergezet worden. Familieleden van slachtoffers van

de fatale Air France-vlucht 447
moeten er rekening mee houden dat de

lichamen van geliefden

wellicht nooit teruggevonden zullen worden. In
Oostenrijk is een vrouw die de gecrashte vlucht net
gemist had, bij een auto-ongeval om het leven
gekomen. Een Frans schip
heeft vrijdag zes lichamen van

inzittenden van de gecrashte Airbus geborgen.
Het neergestorte Air France-toestel had een
probleem met
een veiligheidsmechanisme op het

hoogteroer. De verzekeringen zullen de Franse
luchtvaartmaatschappij Air France 67,4 miljoen
euro uitbetalen voor de Airbus

A330 die in de nacht van 31
mei op 1 juni in de Atlantische Oceaan is
gestort. Zo veel brokstukken zijn er al teruggevonden van
de Airbus van Air France

die is neergestort in de Atlantische Oceaan. De signalen
die ten noordoosten van Brazilië uit de
diepten van de Atlantische Oceaan zijn opgepikt, zijn

niet van de zwarte dozen
van het Air France-vliegtuig dat
op 1
juni is verongelukt. Een
Boliviaanse televisiezender heeft een blunder van

formaat gemaakt. De reddingswerkers die de gecrashte Airbus
van Air France in de Atlantische Oceaan bergen
hebben de lichamen gevonden van
de gezagvoerder en een steward. De reddingswerkers
die de

gecrashte Airbus van Air France in de
Atlantische Oceaan bergen, hebben de lichamen gevonden
van de gezagvoerder en een steward.
De Braziliaanse zee- en
luchtmacht stoppen met zoeken
naar lichamen en brokstukken van vlucht
AF 447 van Air France.
Een 14-jarig Frans meisje
heeft de crash van een
Jemenitisch vliegtuig voor de Comoren tot nog toe als enige
overleefd. Volgens een eerste rapport van het
Franse Bureau voor Onderzoek en Analyse is het
toestel uiteengespat toen het met grote

snelheid het water raakte. Opnieuw hebben zich problemen voorgedaan met

de snelheidsmeters tijdens een
vlucht van Air France. Een Airbus A330 die een
vlucht tussen Parijs en Doeala in Kameroen
uitvoerde, heeft donderdag rechtsomkeert moeten maken nadat
'er een anomalie werd vastgesteld in het
aircosysteem'. undefined undefined undefined undefined undefined
    undefined undefined undefined undefined
undefined undefined undefined undefined undefined undefined
undefined undefined undefined
undefined undefined undefined undefined undefined undefined undefined
undefined undefined undefined undefined undefined undefined undefined
    undefined undefined undefined undefined

undefined undefined undefined undefined undefined
undefined undefined undefined undefined undefined undefined undefined
    undefined undefined undefined
undefined undefined undefined

Het is al twee jaar geleden intussen, maar
het ligt Frankrijk nog altijd loodzwaar op de maag.

O de wintre nie mji vriest, toes peurn
de wolkn zig ip kantjiln of dresjn et vlas
me ird'en ol de Leie in, sgoolkinders
vlugtn rap een buskot in en streuln eut under
ne rok, den toebak es te nes voe nog
te laain. Ier en daar zimbert en zabbert
de reegn deurt dak, maakt de meurn wak,
zet ne kelder blank. De reien klotsn
en kleunn ip de kassien, gulpt en broakt
et mollejongn, pakt de moze tstad in, voert
een brugge van woaterland no woaterland.

schuifelingen, t
moto

O de wintre nuois mji dempt, est dat
ie weggekletst es deur ne meur van zji:
golf over golf benoast de zji de veisters,
smit mussels en geirnoars ip de strandkabinn,
sgeurt Humperdinck en Roussos vant Casino,
kaprioleert me blombakn en bankn;
de keunink, an zin peird geveezn, vliegt van
de goanderien en dzjukt ip zinnen beird.
Bagn de kupe stuvt ze polders weg,
snukt ze de wilgn en populiern vanjin
en revelt ze den akkerzaai omverre.

toewijdingen,

Aan de lopende band en de hoogspanningskabels,
in de moederborden en de ijzerplatenhuisjes, niet
geknabbel dat minder, of recht van arme landen om
te verlangen, en eenmaal gezouten is kabeljauw
voedzaam proviand op lange reizen — dat appels
ook niet altijd even groot van de boom vallen, maar
dat aandeelhouders over schouders meekijken,
hulpeloos ophalen naar de plukgezangen en achter
de afsluitdijk drijven scholen dode bruinvissen rond.
Contouren verdwijnen, ach wat, het is ieders verhaal.
Voor het ineenzijgt als een pudding wandelt een
fietser zonder om te kijken verder, want als als als,
als niets of niemand de ontwikkeling van een kabel-
jauweitje zou belemmeren, als de helft van de kinderen te beïnvloeden tegenover 3% volwassenen,
als lood en kwik in de nachtlucht opfladderen, waar
hangen schouders, snurken ze tussen hun bladen? En
hoeveel koppen koffie biedt ontbijt voor helderheid?

Zeilen klapperen, stagen en masten kraken, om te kunnen begrijpen
ziet men af van liefde, verbergt men zich op het toilet of stapt men
eruit, soms, zonder zichtbare reden, glippen trekkervissen weg onder
een rots, dat is het teken: klauter uit je kombuis, scheepskok, voor het
fornuis door houten wanden breekt, sta in een deuropening of vlucht de
straat op, naar hogergelegen gebieden, de klap komt onoverzichtelijk.
Beenderen branden, men hoort dauw gisten: gemartelde bomen huilen.
Waar men aan tafel zat, zit men aan dennenhout, waar plastic door
zon en zee beschadigd scheurt huid ingebrand mee los, krijgt met kalk
overstrooid een voorgeur van het nasmeulende, een natuur die niet voor
zichzelf kan opkomen: een hertenpopulatie groeit sneller met de helft
afgeschoten, als de natuur niet dan wij voor haar, op palen is men veilig
voor muskieten, tijgers en zandvlooien, als de natuur dan wij van haar.

Op de rug twee ogen, scherpe tanden
laten onregelmatige inhammen in het
hout achter, kilometers ver de bergen,
men vloekt gehoorzaamheid af, met
geweld als het moet, al is men door een
moeder of wolvin grootgebracht, bedel-
monniken dragen jarenlang dezelfde pij
en Gods parels in hun haar, het kleed van
aangeboren vrolijkheid gaat onder lede
ogen uit, op dagen van toevalligheden
uit, het gevilde verstand van binnenuit.
Men is blij om de zonden die gebeuren.
Wie kleren draagt, ziet de kunst van een
naakt lichaam, een toefje haar op een
babyhoofd, een stronk in de savanne,
wie opensnijdt, ziet een schuimende,
felgele, eiwitrijke vloeistof en verstopte
aderen aan de oppervlakte van hersenen,
wie achteruitroeit, ziet een potvis met
omhoog zijn vinnen drijven midden in
eigen bloed en braaksel: koloniseer de
zee middels pompen en dijken, draai
de kraan bij het inzepen van de handen
dicht en weer open om te spoelen.

Hangt een niet-erkende donor met de heupen
uit het venster, onder hem rotsen, geiten, een
sandaal die dobbert op sloom water, slik dan
geen guttegom of wegedoorn, het is straffer
dan onrijpe ananas of kalebas, want al knikt men
ja op de drempel van het ijzerplatenhuisje, al
kokhalst men niet meer van de plop plop luchtbellen, al steekt een hand een inkomen in de
mond, waar een aanbod is, spreekt een vraag.
Hoe walgelijk het slijk de einder moet bereikt.
Afgunst verteert en men leeft in een tijd van
afgunst: jegens planten die akkers zoet maken,
jegens hardste werktuigen die minder harde
tot plooien of kraken, jegens handen die beide
oevers samenschrapen tot het boek dat men
tig keer herleest om de stijl: met de inkomens
spoelen tijgers weg en wie onder de zeespiegel
leeft, zal onder de zeespiegel sterven.

Van de achtersteven en de achterbuurten
zag men barbie en ken voorbijzwemmen,
dag na dag na dag hun traag bewegende
lichaamsdelen boven water, men had niets
om de vingers te warmen die lijnen binnen-
haalden, drijfnat van ijswater waren aardse
kwellingen, terwijl op de bodem vulkaan-
gaten hitte lekten, methaan- en zwavel-
verbindingen lekten in van licht verstoken.
Die zijn hand in zee stak verloor die hand.
Men had niets om de vingers te doven, het
golfterrein dat onderhouden, sinaasappels
moesten goedkoop, er zwom een schelvis
met strepen, striemen, brandwonden rond,
men kon water in land veranderen toen
verlangen de kant van bemachtigen koos,
de kant van gemis — dor is wat men groen
noemde en de kleur van daken meegaf, dor
is afval dat dag na dag na dag in de zon lag.

Dat uit een dam water sijpelt maar niet het slijk, neen, dat graan aan koeien, koeien stukken van mensen en mensen op slachtafval neerstrijken, neen, dat een linkerhand in haar lies kruimelen laat-avondprogramma's aan hongerigen in onoverzichtelijk overtal, met vele keuzes open: men moet zorgen dat de soep niet groter, motor niet-roker, men moet zorgen dat de hond zich buiten uitschudt. Verlichte rivieren overstroomden hun plichtland en legerden slib. Kan men met oprukken of terugtrekken of dekking geven nog een land van gedaante veranderen, met een dweil de gang, dan maakt men liever eerst een extern expertiseonderzoek, het liefste een permanent extern expertiseonderzoek met blinkende oogjes vol langetermijninkomsten, men moet 's avonds eten op tafel hebben staan en als de ogen groter dan de buik dan past de buik zich aan.

opus 75 Bomen schudden in de wind, een eenvoudige
setting, een moeder met een kind op de arm
wandelt ettelijke kilometers tot een rivier en
ruilt het kind voor 20 l water: met wat voor
opluchting ontlast gedonder, met wat voor
uitzicht staan huizen in oksels van rivieren,
giet men teer en cement uit over gras, men
wil alles communiceren terwijl in de wereld
bijna alles zich tegen bijna alles verweert.
Men vouwt papieren bootjes van de leugen.
Zekerheid aardt niet, hallucineert een rivier
rotsen, stokken, duizenden kiezels in haar
droge monding, dromen is de natuurlijkste
en ergste van alle drugs en de zee is als de
zon, maar nat, teleurstelling vindt oorsprong
in ettelijke kilometers wandelen voor een
stadse verwenning, in het decennium van de
koopkracht ruilt men met bedrijven die steun
verdienen en gebrek aan omega 3-vetzuren
verhoogt de kans op geweld en depressie.

Er dompelt zich onder een deksel
van acaciahout, van brandstof een
altaar, en ongeacht de militaire
progressie inzake weermanipulatie,
maakt zee zich van grond los, een
kind van ouders, een muur van dak,
in een houdgreep aan het riet van
Jericho redt men, blust men een
man die opkijkt en liefheeft, binnen
de randen van het bord eet man vis
die vissen die plastic dat pesticiden.
Men wordt wat men liefheeft.
Een angstige rammelaar toont zich
hervormbaar, de hals over en men
sprenkelt rond het altaar, verbrandt
een ingewand tot de regen, tot in
het wit een kind een stroming een
dobberend grastapijt waartussen
vissen die eten van gevallen fruit,
neemt men zijn parasieten aan, richt
het huisje tuintje jij mijn duifje in,
niet hier is er kou, niet hier. Niet hier.

O de wintre al lange slapt, toes kikt
ne mins nog ipt orluoge van zinne laptop,
doetie den airco bloazn, pakt een tasse
kaffie en eet ne kiwi ut Nieuw-Zjiland.
Den tillevisie tuont ondergestruomde
polders en ie zoekt de latste vlieger
no Tibet of no de moane, Kuifke
agterno. Ie bepeist dat ie in plekke
van zinne computer te erprogrammeern
beter zinne kop, zin ann, zin verlangn.
De rampe moest gebeuren vuordat ie bang.

Verantwoording

Wat ooit met een sneeuwballengevecht begon, eindigde in de beslissing om vegetariër te worden. Op dat pad kwam onder andere in mijn handen:

Verschillende auteurs, *Het verhaal Aarde. Inheemse volken aan het woord over milieu en ontwikkeling.* (Bridges Books: Amsterdam, 1992)

Huub Beurskens, *Bange natuur en alle andere gedichten tot 1998.* (Meulenhoff: Amsterdam, 1997)

Julian Caldecott, *Water. The causes, costs and future of a global crisis.* (Virgin Books: Londen, 2008)

Kees Camphuysen en Gerard Peet, *Walvissen en dolfijnen in de Noordzee.* (Fontaine: 's Gravenhage, 2006)

Francesca de Châtel, *Het water van de profeten. Water in de geschiedenis van het Midden-Oosten.* (Contact: Amsterdam, 2005)

Charles Darwin, *De reis van de Beagle.* (Cohen: Arnhem, s.d.)

Magda Devos en Reinhild Vandekerckhove, *West-Vlaams.* (Lannoo: Tielt, 2006)

Victoria Finlay, *Kleur. Een reis door de geschiedenis.* (Ambo: Amsterdam, 2002)

Jonathan Safran Foer, *Dieren eten.* (Ambo/Manteau: Amsterdam, 2009)

Guido Gezelle, *The song of Hiawatha – Tijdkrans.* (DNB: Kapellen, 1981)

Jesse Goossens, *Plastic Soep.* (Lemniscaat: Rotterdam, 2009)

John Hollander, *Vision and resonance: two senses of poetic form.* (Oxford University Press: New York, 1975)

Michael S. Schneider, *Ontdek en creëer zelf het universum: de tien archetypische bouwstenen van natuur, kunst en wetenschap.* (Altamira-Becht: Haarlem, 1975)

George Monbiot, *Hitte. Hoe voorkomen we dat de planeet verbrandt?* (Jan van Arkel: Utrecht, 2007)

Elaine Morgan, *Sporen van de evolutie.* (Ambo: Baarn, 1996)

Fred Pearce, *De laatste generatie. Hoe de natuur wraak neemt voor het broeikaseffect.* (Jan van Arkel: Utrecht, 2007)

Hugh Raffles, *Insectopedie.* (Contact: Amsterdam, 2010)

Peter Sloterdijk, *Sferen*. (Boom: Amsterdam, 2003)

Peter Sloterdijk, *Sferen. Schuim*. (Boom: Amsterdam, 2009)

Dieter Telemans, *Troubled Waters*. (BAI: Schoten, 2007)

Herlinda Vekemans en Alain Delmotte (samenst.), *De Brakke Hond 95*. (2007)

David Foster Wallace, *Infinite Jest*. (Abacus: Londen, 1997)

*

Van de cyclus **opwerpingen, reddingspogingen, stormen** verscheen een vroegere versie in de bloemlezing *Boest* (Demian: Antwerpen, 2009). Een nog oudere versie is vierstemmig te beluisteren op www.digidicht.nl, gemaakt samen met Gabrielle Marks en dankzij het Nederlands Fonds voor de Letteren.

neen/ja verscheen onder een andere titel en licht anders in *De Brakke Hond 95* (2007). Het citaat van Pessoa komt uit *Boek der rusteloosheid* (De Arbeiderspers: Amsterdam, 2005). De geciteerde liedtekst is 'Rozane', geschreven door Chris Thys en gezongen door Wim De Craene.

ja 2 verscheen eerder in *Ballustrada* (2006, nr. 1-2).

ja 3 werd een eerste maal voorgedragen tijdens het huwelijk van David Troch en Sylvie Marie.

neen 1 verscheen eerder titelloos in *Poëziekrant* (2010, nr. 7-8).

Voor **ja/neen** vroeg ik mailsgewijs aan mensen om me natuuranekdotes toe te vertrouwen. Ik ben iedereen dankbaar die op mijn vraag inspiratiemateriaal aanleverde. Mijn speciale dank gaat uit naar Annemie Debackere, Serge Delbruyère, Kevin Demiddele, Rudi Genbrugge en Marianne van de Goorberg. Andere natuurinformatie putte ik uit de dvd-reeks *Oceans: unravelling the mysteries of the deep* (BBC/Discovery Channel: 2009), de reeks 'Bedreigde dieren' in de rubriek 'Planet Watch' op www.demorgen.be en de bloemlezingen **Stefan van den Bossche en Koen Vergeer (samenst.)**, *Naar 't Zuiderland: moderne Nederlandstalige dichters langs de Midellandse Zee* (Lannoo/Atlas: Tielt, 2002) en **Guus Luijters (samenst.)**, *Het Grote Dieren Gedichten Boek* (Nieuw Amsterdam: Amsterdam, 2007). Wikipedia leverde detailinformatie. Ook bleef iets uit **Haruki Murakami**, *De opwindvogelkronieken* (Atlas: Amsterdam, 2003), **David Van Reybrouck**, *Congo: een geschiedenis* (De Bezige Bij: Amsterdam, 2010) en **Bruno Schulz**, *Het sanatorium* (Roularta: Roeselare, 2001) hangen. Ik draag het gedicht op aan mijn oud-collega's van Link nv in Waregem.

neen 3 ontstond na een zoekopdracht op www.standaard.be. Ik verzamelde de resultaten in één bestand en besloot zes maanden later, tijdens een voordracht van Elisabeth Tonnard, om van elk artikel de eerste zin te nemen en die zinnen achter elkaar te plaatsen. Daarna verbeterde ik enkel een tiental foutjes. Dobbelstenen en een stukje software die Peter De Jaeger speciaal voor dit gedicht ontwikkelde, bepaalden de vorm van het gedicht.

In de cyclus **schuifelingen, toewijdingen, motetten** is elke middenzin een citaat uit werk van achtereenvolgens: John Ashbery, Antonio Gamoneda, Christine D'haen, Anneke Brassinga, Nachoem M. Wijnberg, b. zwaal, Bernardo Soares en Sint-Bernardus.

opus 69, 74 en 76 verschenen eerder met andere titel in *De Gids* (2010, nr.5).

opus 70, 71 en 73 verschenen eerder titelloos in *nY* (2010, nr.5).

*

De bundel is gezet uit de lettertypes Balance en Scala Sans.

De bundel kwam mede tot stand dankzij een stimuleringsbeurs van het Vlaams Fonds voor de Letteren en het Nederlands Letterenfonds en dankzij de steun van de provincie West-Vlaanderen.

Bij de productie van het boek is gebruikgemaakt van papier dat het keurmerk Forest Stewardship Council (FSC) draagt. Bij dit papier is het zeker dat de productie niet tot bosvernietiging heeft geleid. Ook is het papier 100% chloor- en zwavelvrij gebleekt.

ISBN 978 90 254 3846 3
D/2012/0108/912
NUR 306

www.xavierroelens.be
www.uitgeverijcontact.nl